高等职业教育"互联网+"创新型系列教材

汽车电工电子技术

第 2 版

主　编　郭三华　郭宏岩　李宏远
副主编　罗　丹　刘　伟　初　玲
　　　　全瑞花
参　编　侯立芬　许雯旸　薛福霞
　　　　耿翠萍

机械工业出版社

本书共分 10 个模块，主要内容包括直流电路、交流电路、电磁现象与电磁部件、二极管、晶体管及基本放大电路、集成运算放大器、门电路、组合逻辑电路、触发器、555 定时器。

本书可作为高等职业院校的汽车类专业电工电子技术课程的教材或参考书，也可供相关领域的技术人员和管理人员学习参考。

为方便教学，本书有二维码视频、电子教案、教学课件、习题答案、期末试卷及答案等教学资源，凡选用本书作为授课教材的教师，均可通过电话（010-88379564）或 QQ（3045474130）咨询。

图书在版编目（CIP）数据

汽车电工电子技术/郭三华，郭宏岩，李宏远主编.—2 版.—北京：机械工业出版社，2022.11（2025.7 重印）
高等职业教育"互联网+"创新型系列教材
ISBN 978-7-111-71803-1

Ⅰ.①汽… Ⅱ.①郭…②郭…③李… Ⅲ.①汽车-电工技术-高等职业教育-教材②汽车-电子技术-高等职业教育-教材 Ⅳ.①U463.6

中国版本图书馆 CIP 数据核字（2022）第 189012 号

机械工业出版社（北京市百万庄大街 22 号　邮政编码 100037）
策划编辑：曲世海　　　　　责任编辑：曲世海
责任校对：张亚楠　张　征　封面设计：马精明
责任印制：张　博
北京建宏印刷有限公司印刷
2025 年 7 月第 2 版第 3 次印刷
184mm×260mm・11 印张・271 千字
标准书号：ISBN 978-7-111-71803-1
定价：39.80 元

电话服务　　　　　　　　　　网络服务
客服电话：010-88361066　　机　工　官　网：www.cmpbook.com
　　　　　010-88379833　　机　工　官　博：weibo.com/cmp1952
　　　　　010-68326294　　金　书　网：www.golden-book.com
封底无防伪标均为盗版　　　　机工教育服务网：www.cmpedu.com

前　言

"汽车电工电子技术"课程是汽车类专业的重要专业基础课，对于高等职业院校的学生具有重要的意义。本书是在认真总结"汽车电工电子技术"课程教学实践的基础上，结合高等职业院校人才培养目标的特点而编写的。本书经多年使用取得了很好的教学效果，可作为高等职业院校和普通专科院校"汽车电工电子技术"课程的教材。

本书在编写中注重突出职业能力的培养，加强实践性、应用性，精选教材内容，理论联系实际。本书从以下几个方面突出高职教育特色：

1）根据职业岗位要求，以岗位和后续课程需要为依据精选教材内容。

2）明确提出每个任务的学习目标，细化知识目标、能力目标和素质目标。每个教学任务有习题，有利于学生自学，同时训练学生创新及理解能力。

3）突出项目教学特点，注意职业能力的培养。

4）难易适中，详略得当，突出重点学习内容，具有一定的通用性。

5）在课程内容上以基本理论、基本分析方法、基本设计方法和电路应用为重点，注重实训，将学生综合能力的培养贯穿于教学全过程。

6）图文并茂，通俗易懂，结构合理，包含应用实例，例题简明，便于教学。

7）配有教师授课使用的二维码视频、电子教案、教学课件，便于教师根据需要组织教学和学生自学。

8）在论述上深入浅出，注意理论与实践相结合，培养学生的专业能力、方法能力和社会能力，完成培养高素质技能型专门人才的教学任务。

本书由初玲、侯立芬策划统筹，郭三华、郭宏岩和李宏远担任主编，罗丹、刘伟、初玲和全瑞花担任副主编，侯立芬、许雯旸、薛福霞、耿翠萍参编。郭三华和罗丹编写模块1，郭宏岩编写模块2、模块3，李宏远编写模块4、模块5、模块6、模块7，罗丹编写模块8，刘伟和初玲编写模块9，全瑞花和侯立芬编写模块10，许雯旸、薛福霞和耿翠萍编写附录A、附录B以及部分内容的录入，最后由初玲、侯立芬进行全书的审核。

本书在编写和录入计算机过程中得到了许多老师的无私帮助和悉心指导，在此谨向这些老师表示诚挚的感谢。

由于作者水平有限，书中难免有错误与疏漏之处，敬请使用本书的教师同仁与同学们批评指正。

编　者

二维码索引

名称	二维码	页码	名称	二维码	页码
电阻的测量及应用		11	集成运算放大器及应用		107
电路的基本定律及基本分析方法		19	三种基本逻辑关系		117
交流电路的认识		35	复合逻辑关系及门电路		120
变压器		72	TTL 集成逻辑门		124
使用与检测二极管		82	CMOS 集成逻辑门		125
使用与检测特殊二极管		86	组合电路的分析		131
识别与测试晶体管		93	组合电路的设计		132
电压放大电路		98	加法器的设计		134

（续）

名称	二维码	页码	名称	二维码	页码
数码显示器和显示译码器		137	同步 RS 触发器		147
数制		141	同步 D 触发器		149
基本 RS 触发器		144	同步 JK 触发器		150

目　录

前言
二维码索引

模块1　直流电路 1

项目1.1　电路及基本物理量的测量 2
项目1.2　电阻的测量及应用 11
项目1.3　电路的基本定律及分析方法 19
项目1.4　电容器 25
小结 31
习题 32

模块2　交流电路 35

项目2.1　正弦交流电路 35
项目2.2　三相交流电路 43
项目2.3　安全用电 49
小结 54
习题 55

模块3　电磁现象与电磁部件 57

项目3.1　磁场及磁路 58
项目3.2　电磁部件及应用 63
项目3.3　变压器 72
小结 79
习题 80

模块4　二极管 81

项目4.1　识别与检测二极管 82
项目4.2　使用与检测特殊二极管 86
项目4.3　组装与测试汽车整流电路 88
小结 89
习题 90

模块 5　晶体管及基本放大电路 ……………………………………………… 92

项目 5.1　识别与测试晶体管 …………………………………………………… 93
项目 5.2　组装与测试放大电路 ………………………………………………… 98
项目 5.3　安装与调试汽车电气线路搭铁探测器 ……………………………… 101
小结 ……………………………………………………………………………… 103
习题 ……………………………………………………………………………… 103

模块 6　集成运算放大器 ……………………………………………………… 106

项目 6.1　检测集成运算放大器 ………………………………………………… 107
项目 6.2　使用与测试电压比较器 ……………………………………………… 110
项目 6.3　组装与检测汽车蓄电池电压过低报警电路 ………………………… 113
小结 ……………………………………………………………………………… 114
习题 ……………………………………………………………………………… 115

模块 7　门电路 ………………………………………………………………… 116

项目 7.1　测试与门、或门和非门 ……………………………………………… 117
项目 7.2　测试复合逻辑门 ……………………………………………………… 120
项目 7.3　使用集成逻辑门 ……………………………………………………… 124
小结 ……………………………………………………………………………… 128
习题 ……………………………………………………………………………… 128

模块 8　组合逻辑电路 ………………………………………………………… 130

项目 8.1　设计一般组合逻辑电路 ……………………………………………… 130
项目 8.2　设计加法器 …………………………………………………………… 134
项目 8.3　识别与检测数码显示器及显示译码器 ……………………………… 137
小结 ……………………………………………………………………………… 141
习题 ……………………………………………………………………………… 141

模块 9　触发器 ………………………………………………………………… 143

项目 9.1　测试基本触发器 ……………………………………………………… 144
项目 9.2　测试同步触发器 ……………………………………………………… 146
小结 ……………………………………………………………………………… 153
习题 ……………………………………………………………………………… 153

模块 10　555 定时器 ………………………………………………………… 155

项目 10.1　识别与测试 555 定时器 …………………………………………… 155

项目 10.2　组装与测试前照灯 555 自动变光器 ·· 158
项目 10.3　组装汽车液位过低报警电路 ·· 161
小结 ··· 164
习题 ··· 164

附录 ·· 166

附录 A　半导体分立器件型号的命名规则 ·· 166
附录 B　半导体集成电路型号的命名规则 ·· 167

参考文献 ·· 168

模块 1 直流电路

知识目标

要知道：
1) 电路中基本物理量的概念和特点。
2) 电阻、电容器的性能与特点。

要熟悉：
1) 电阻的识别与检测方法。
2) 欧姆定律、基尔霍夫定律内容。
3) 电容器的充、放电特性。
4) 特殊电阻、电容器在汽车上的应用。

能力目标

会测试：
1) 用万用表进行电流、电压、电阻的测量。
2) 用万用表正确进行元件的质量评价和性能检测。

会分析：
1) 电路工作状态。
2) 使用欧姆定律、基尔霍夫定律、支路电流法进行物理量的计算分析。

素质目标

1) 通过小组合作方式测量电流、电压、电阻值，锻炼学生团结协作能力，提高学科认同度和荣誉感，培养绿色环保意识和团结协作的精神。
2) 通过学习欧姆定律和基尔霍夫定律，培养学生认识规律、应用规律的逻辑思维能力及良好的职业道德、职业素养。

项目 1.1 电路及基本物理量的测量

 项目相关知识

一、电路概述

1. 电路的组成

电路是指电流流过的路径。一个完整的电路是由电源、负载、中间环节（包括导线、控制和保护装置等）等组成。汽车照明电路及其模型如图1-1所示，它由蓄电池、车灯、开关、连接导线等组成，当开关闭合时，电流由蓄电池正极出发流经车灯再回到负极形成闭合回路。

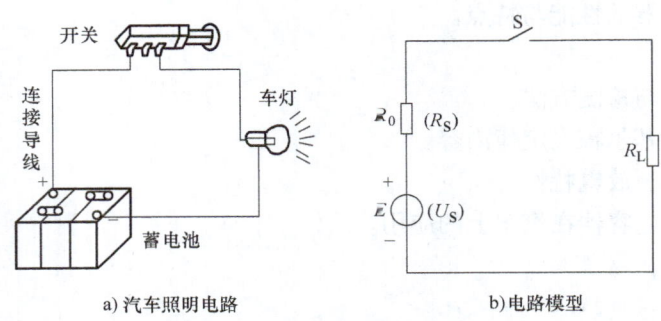

a) 汽车照明电路　　　　　　b) 电路模型

图 1-1　汽车照明电路及其模型

1) 电源是供应电能的装置，它把化学能、机械能等其他形式的能转化成电能，如干电池、蓄电池、发电机和各种整流电源等，汽车电路采用的电源是蓄电池和发电机。

2) 负载是指将电能转化为其他形式能的元器件或设备，如照明灯、扬声器等，汽车上各种信号灯、照明灯、显示器、电喇叭等都属于负载。

3) 中间环节是指介于电源和负载之间的传输、控制设备及保护装置，如导线、开关、熔断器等。

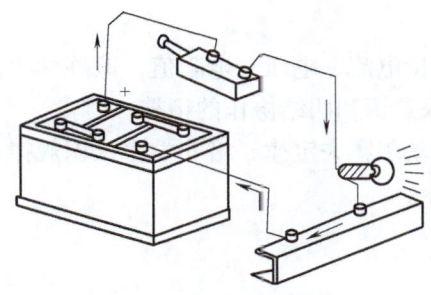

图 1-2　车辆上的单线制电路

根据电源性质，电路分为直流电路和交流电路两类。日常生活和工业生产大多采用交流电路，汽车上则采用直流电路。电源和用电器之间通常用两根导线构成回路，称为双线制。

在汽车上，为了节省导线和便于安装、维修，通常只用一根导线连接电源正极和用电器，电源负极端则由车体的金属部分代替而构成回路，这种连接方式的电路称为单线制电路，车辆上的单线制电路如图1-2所示，电源正极端引线称为相线，负极端引线称为搭铁线。

2. 理想电路元件和电路模型

实际电路中的元件种类很多，但在电磁现象方面，一些元件具有相同之处。为了便于探讨电路的一般规律，简化电路分析，在工程上通常把实际的电路元件用理想电路元件替代。即在一定的条件下，突出元件主要的电磁性质，忽略其次要因素，把实际元件近似地看作理想电路元件，用一个理想电路元件或由几个理想电路元件的组合来代替实际的元件。

基本的理想电路元件有电阻、电感、电容以及理想电压源和理想电流源5种，每一种理想电路元件的性质都是用其参数表示的。基本理想电路元件符号如图1-3所示。

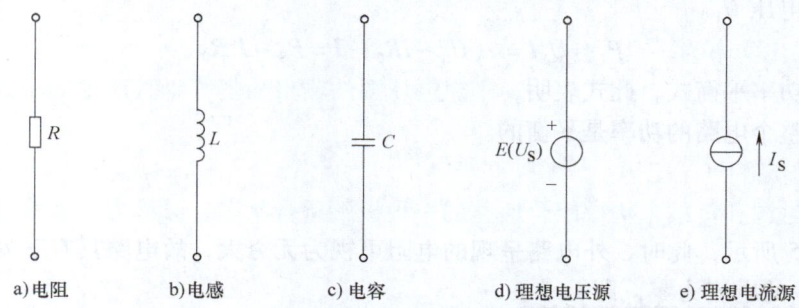

a) 电阻　　b) 电感　　c) 电容　　d) 理想电压源　　e) 理想电流源

图1-3　基本理想电路元件

电阻 R 表示电阻元件，具有消耗电能的性质，即电阻性；电感 L 表示电感元件，具有储存磁场能的性质，即电感性；电容 C 表示电容元件，具有储存电场能的性质，即电容性；U_S 表示理想电压源，有输出电压不变的性质，即恒压性；I_S 表示理想电流源，有输出电流不变的性质，即恒流性。

电路模型就是将实际元件用理想电路元件及其组合表示之后得到的图形，如图1-1a所示的汽车照明电路，蓄电池用理想电压源 U_S 和电阻 R_0 的串联电路表示，车灯用电阻 R_L 表示，开关和连接导线用 S 和理想导线表示，所得到的图形就是汽车照明电路的电路模型，如图1-1b所示。

二、电路的状态

电路在使用中，通常有通路、断路、短路三种状态。

1. 通路

通路就是电源和负载构成了闭合回路，电路中有电流通过。

电路的通路状态如图1-4所示，电路中有电流及能量的传输和转换。与电路通路状态对应的电源，此时处于有载状态。电路有下列特征：

1) 电路中的电流为
$$I = \frac{U_S}{R_0 + R}$$

当电源电压 U_S 和内阻 R_0 一定时，电路中电流的大小取决于负载的大小。

2) 电源端电压为
$$U_1 = U_S - IR_0$$

可见，电源端电压总是小于理想电压源电压，两者之差为电流在内阻上产生的压降，电

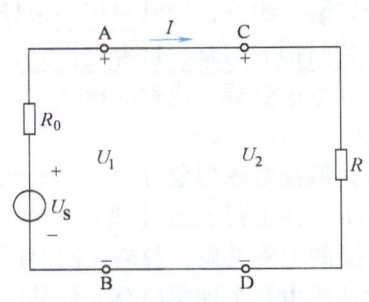

图 1-4 电路的通路状态

流越大，内压降越多，则电源端电压下降得越多。若忽略线路上的压降，则负载的端电压 U_2 等于电源端电压 U_1。

3）电源输出功率为 $\quad P_1 = U_1 I = (U_S - IR_0) I = P_S - I^2 R_0$

该式称为功率平衡式，此式表明，理想电压源的输出功率等于其产生的功率与内阻上消耗功率之差，整个电路的功率是平衡的。

2. 断路（开路）

断路就是电源和负载未构成闭合回路的一种极端运行状态，又称为空载状态。电路的断路状态如图 1-5 所示，此时，外电路呈现的电阻可视为无穷大，故电路具有下列特征：

1）电路中的电流为零，即 $I = 0$。

2）电源的端电压等于理想电压源电压，$U_1 = U_S$，此电压称为空载电压，用 U_0 表示，利用此特点可以测出电源电压。

3）因为电源对外不输出电流，电源的输出功率和负载消耗功率均为零。

断路可以分为控制性断路和故障性断路。控制性断路是人们根据需要利用开关将处于通路状态的电路断开。故障性断路是一种突发性的、意想不到的断路状态，例如，在汽车电路中，电源与负载之间的连接导线松脱，负载与导本的金属部分接触不良，都会引起故障性断路。

汽车电路发生断路故障时，常用试灯或万用表去寻找电路的断路点，用试灯寻找断路点如图 1-6 所示，将试灯一端接在电源负极，另一端依次触及电路接线点 a、b、c、d。如果灯亮，说明此接线点至电源正极间无断路；如果灯不亮，说明此接线点与前一接线点间有断路。用这种方法可逐步缩小故障范围，直至找到断路点。

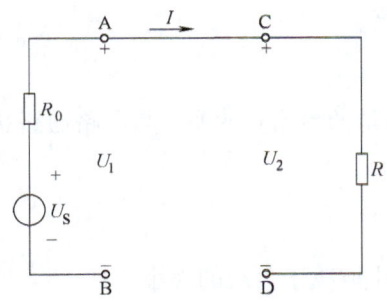

图 1-5 电路的断路状态

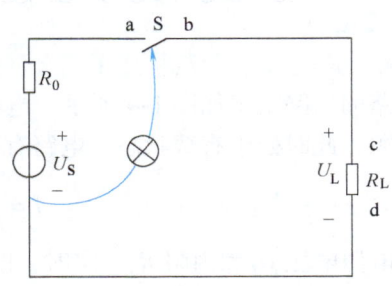

图 1-6 用试灯寻找断路点

3. 短路

<u>短路</u>是指由于电源线绝缘损坏或操作不当等引起的电源两输出端相接触，电流未经过负载，而是在中途相搭接的地方通过并形成回路。电路的短路状态如图1-7所示，外电路呈现的电阻可近似认为是零，电路具有如下特征：

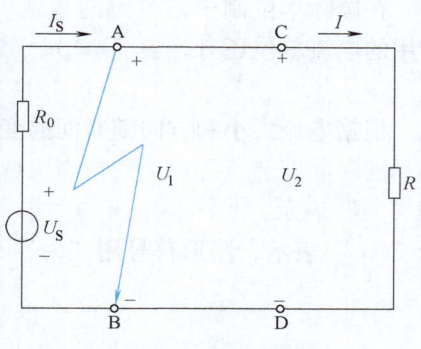

图1-7　电路的短路状态

1）电源中的电流最大，$I_S = \dfrac{U_S}{R_0}$，在一般供电系统中，电源的内电阻 R_0 很小，故短路电流 I_S 很大，但对外电路输出电流却为零。

2）电源和负载的端电压均为零。因为此时对外电路无电流输出，电源的电压全部加在内阻上，电源输出的功率全部消耗在电源内阻上。此时电源输出功率为

$$P_S = \dfrac{U_S^2}{R_0} = I_S^2 R_0$$

发生短路事故时，应及时切断电路，否则将会引起剧烈发热，不仅损坏导线、电源和其他用电设备，严重时还会引起火灾。在实际电路中，<u>一般都在电路上加装熔断器、短路保护器</u>，起到短路保护的作用。

短路在一般使用场合下是不允许的，但在检查、诊断汽车线路是否短路或断路，用于特定的位置测量时，常用跨接线（也称SST，是一段多股导线，它的两端分别接有不同形式的插头）起一个旁通电路的作用来进行检测。例如，某一电气部件不工作，首先将跨接线连接在被测部件"－"端子与车身搭铁之间，若此时部件工作，说明其接地线路断路。如接地线路良好，将跨接线连接在蓄电池正极与被测部件"＋"端子之间，若此时部件工作，说明部件电源电路有故障（短路或断路）；如部件仍不工作，说明部件本身有故障，应予以更换。使用跨接线检测时，必须注意不可将跨接线错误地连接在被测部件"＋"端子与搭铁之间。

三、电路的基本物理量

1. 电流

（1）<u>电流的大小及方向</u>　电流是电荷在电场力作用下定向移动形成的。例如，在金属导体中，自由电子在电场力作用下定向移动形成电流，而在电解液（如蓄电池）或者被电离的气体中，正、负离子在电场力作用下做相反运动形成电流。习惯上规定<u>正电荷移动的方向或负电荷移动的反方向为电流的方向</u>。

<u>电流的大小定义为单位时间内通过导体横截面的电荷量</u>。设在 dt 内通过导体横截面的电荷量为 dq，则通过该横截面的电流为

$$i = \dfrac{dq}{dt}$$

对于直流电路而言：

$$I = \dfrac{Q}{t}$$

在国际单位制中，电流的单位为安培（A）。由定义知，1 安培 = 1 库仑/秒，实际中，常用的电流单位还有毫安（mA）、微安（μA）等，其换算关系为

$$1A = 10^3 mA = 10^6 \mu A$$

根据电流大小和方向随时间的变化情况，电流可以分为两大类。一类电流的大小和方向都不随时间变化，称之为稳恒电流或直流电流。直流电流常用字母"DC"表示，图形符号用"-"表示。另一类电流的大小和方向都随时间变化，称之为交流电流，交流电流用字母"AC"表示，图形符号用"~"表示。电流波形图如图1-8所示。

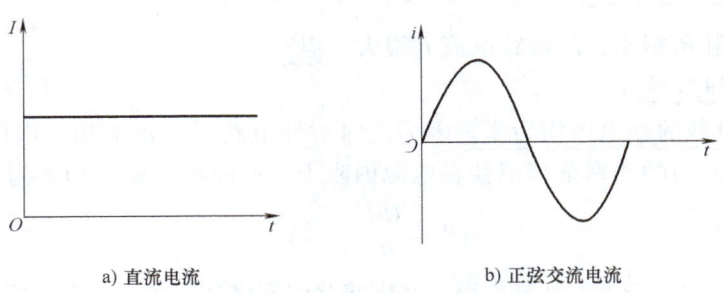

a) 直流电流　　　　　　　　b) 正弦交流电流

图 1-8　电流波形图

（2）电流的参考方向　在简单直流电路中，电流的实际方向很容易确定，但在复杂电路中，电流的实际方向难以确定。为此，在分析和计算电路时，常常事先假设一个电流方向，称为参考方向，在电路中一般用箭头表示。电流的参考方向与实际方向如图1-9所示，如果计算的电流为正值，那么电流的实际方向与参考方向一致；如果计算的电流为负值，那么电流的实际方向与参考方向相反。

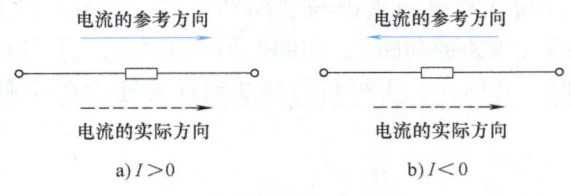

a) $I > 0$　　　　　　　　b) $I < 0$

图 1-9　电流的参考方向与实际方向

除了用箭头表示电流的参考方向，还可以用双下标表示，如 I_{AB} 表示电流参考方向为由 A 指向 B。

综上所述，电流参考方向是电路分析和计算过程中很重要的概念，在学习中需要注意：

1）电流参考方向可随意选择，而实际电流是客观存在的。若同一个电流的参考方向不同，则其电流的数值大小相等而符号相反。

2）分析电路时，首先要假定电流的参考方向，在选定的电流参考方向下，根据电流的正、负就可以确定电流的实际方向。若不规定电流的参考方向，电流的正、负号是无意义的。

2. 电压和电位

（1）电压的定义　电荷在电场中要受到电场力的作用，电压是衡量电场力做功大小的物理量。在电路中电场力把单位正电荷从 A 点移到 B 所做的功，定义为 A、B 两点间的电压，用符号 u_{AB} 表示：

$$u_{AB} = \frac{dW}{dq}$$

在直流电路中,电压用大写字母 U 表示,上式可写成 $U = \frac{W}{Q}$

在国际单位制中,电压的单位是伏特(V)。若电场力把1C(库仑)的电荷从一点移动到另一点所做的功为1J(焦耳),则两点间的电压为1V。其他常用单位还有千伏(kV)、毫伏(mV)、微伏(μV)等。

(2)电压的方向　电压也是一个既有大小又有方向的量,电压的实际方向规定为由高电位端指向低电位端,即为电位降落的方向。

为分析电路方便,也应引入电压的参考方向。在元件或电路两端,可以任意选定一个方向为电压的参考方向。电压的参考方向与实际方向如图1-10所示,当电压的实际方向与它的参考方向一致时,电压值为正,即 $U>0$;反之,当电压的实际方向与它的参考方向相反时,电压值为负,即 $U<0$。

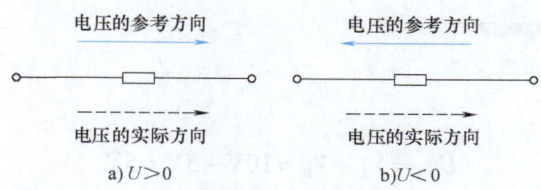

图1-10　电压的参考方向与实际方向

对电压参考方向的标注除了用箭头,还可用双下标和正(+)、负(-)极性表示。

电路中电流和电压参考方向的选择是独立的,如图1-11所示,若电路中电流和电压参考方向一致,称为关联参考方向,电压和电流的关系为 $U = IR$;若电流和电压参考方向不一致,称为非关联参考方向,电压和电流的关系为 $U = -IR$。

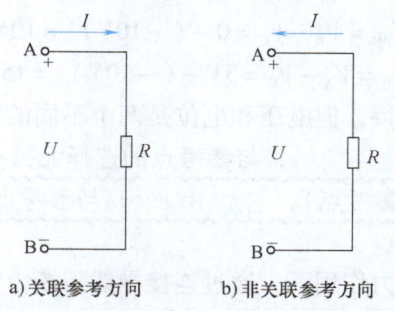

图1-11　关联参考方向和非关联参考方向

(3)电位　为了分析和维修电路方便,通常选定一点作为参考点O,电位是指电路中某点对参考点的电压,电位及电位差如图1-12所示,一般规定参考点的电位为0V。

电位通常用 V 来表示,电位与电压的单位相同,都是伏特(V)。电路中任意两点间的电压就是这两点间的电位之差,即

$$U_{AB} = V_A - V_B$$

在汽车电路中,蓄电池负极直接或间接地通过导线连接在车身金属或车架上,俗称搭

铁。通常汽车的搭铁点就是电路的参考点，电路中任一点的电位就是相对于搭铁点的电压。电力系统中，通常以大地作为参考点；电子电路中，一般选择电子设备的金属机壳或某公共点作为参考点，在电路中用符号"⊥"表示。

例1-1 电路如图1-13所示，已知，以 O 点为参考点，$V_A = 10V$，$V_B = 5V$，$V_C = -5V$。(1) 求 U_{AB}、U_{BC}、U_{AC}；(2) 若以 B 点为参考点，求各点电位和电压 U_{AB}、U_{BC}、U_{AC}。

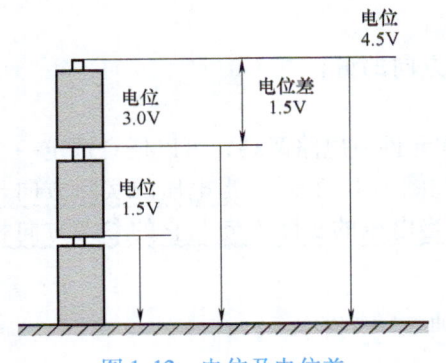

图1-12 电位及电位差　　　　　　　　图1-13 例1-1图

解：（1）

$$U_{AB} = V_A - V_B = 10V - 5V = 5V$$

$$U_{BC} = V_B - V_C = 5V - (-5V) = 10V$$

$$U_{AC} = V_A - V_C = 10V - (-5V) = 15V$$

（2）若以 B 点为参考点，则 $V_B = 0V$

$$V_A = U_{AB} = 5V$$

$$V_C = U_{CB} = -U_{BC} = -10V$$

$$U_{AB} = V_A - V_B = 5V - 0 = 5V$$

$$U_{BC} = V_B - V_C = 0 - (-10V) = 10V$$

$$U_{AC} = V_A - V_C = 5V - (-10V) = 15V$$

电压和电位的单位都是伏特，但电压和电位是两个不同的概念。<u>电压</u>是电场中两点间的电位差，如 $U_{AB} = V_A - V_B$，<u>它是不变值</u>，与参考点的选择无关；而<u>电位</u>是电场中某点对参考点的电压，如 $V_A = U_{AB}$（B 为参考点），<u>它是相对值</u>，与参考点的选择有关。

3. 电动势

在电路中，正电荷在电场力作用下，通过连接导线不断由正极流向负极，为了使电流持续不断并保持稳定，在电源内部必须有一种力，把正电荷从负极经电源内部推到正极。由于这种力存在于电源内部，因而称为电源力。

衡量电源力对电荷做功能力的物理量称为电动势。<u>电动势在数值上等于电源力将单位正电荷从电源负极经过电源内部移到电源正极所做的功，用符号 E 表示，单位为伏特（V）</u>。电动势的方向规定为在电源内部由负极指向正极，即从低电位点指向高电位点，与电源两端电压方向相反。

电动势与电压的比较：

1) <u>电动势</u>在数值上等于电源力将单位正电荷<u>由低电位移动到高电位</u>所做的功；电压在

数值上等于电场力将单位正电荷由高电位移到低电位所做的功。

2）电动势的方向是从低电位指向高电位，即电位是逐点上升的；电压的方向是从高电位指向低电位，即电位是逐点降低的。

3）电动势仅存在于电源内部，电压不仅存在于电源两端，而且存在于电源外部。

4. 电能和电功率

若电路中 A、B 两点间的电压为 U，电路中的电流为 I，电压、电流为关联参考方向，由电压定义知，在 t 时间内，电场力所做的功即元件消耗（或吸收）的电能为

$$W = UQ = UIt$$

单位时间内消耗的电能称为电功率（简称为功率），直流电路中用字母 P 表示，即

$$P = \frac{W}{t} = UI$$

在国际单位制中，功的单位是焦耳（J），功率的单位是瓦特（W）。在实际应用中，电能的单位有时用千瓦时（kW·h）表示，1kW·h 就是指功率为 1kW 的用电设备使用 1h 所消耗的电能。1 千瓦时俗称为 1 度电。

需要指出的是，电功率是代数量，可以为正值或负值。

1）在电压和电流为关联参考方向时，$P = UI$。功率为正（$P > 0$），表示元件消耗电能，为负载性质；功率为负（$P < 0$），表示元件释放电能，为电源性质。

2）在电压和电流为非关联参考方向时，$P = -UI$。同样，功率为正（$P > 0$），表示元件消耗电能，为负载性质；功率为负（$P < 0$），表示元件释放电能，为电源性质。

项目设备与器材

电工电子实验台、万用表、稳压电源、灯泡、连接导线、开关、熔断器、可变电阻器等。

项目内容和步骤

1. 简单汽车照明电路的搭建

利用给出的实验器材，在电工电子实验台上搭建简单的汽车照明电路，如图 1-14 所示，注意电路连接的正确性。

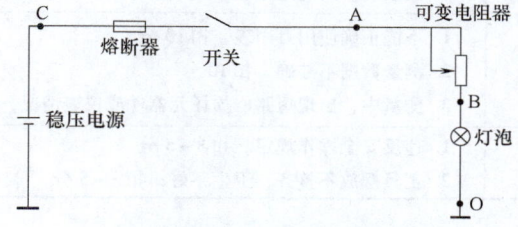

图 1-14 简单汽车照明电路的搭建

2. 电压、电流值的测量

用万用表分别测量电路中灯泡两端的电压和流经灯泡的电流。调节可变电阻器阻值，记录可变电阻器在不同位置时，万用表测得的电压值和电流值，比较其大小。

将灯泡一端从电路中断开，重复上面操作，分别测量可变电阻器在不同位置时灯泡两端

的电压及电流值。将测量结果填入表 1-1 中。

表 1-1 电压、电流测量记录表

测量记录		电压值/V	电流值/mA
状态	通路状态		
	断路状态		

测量电压时，将万用表并联到灯泡两端；测量电流时，将万用表串联到电路中。测量之前要选择合适的量程，量程的选择应尽量使指针偏转在刻度盘的 50%～80% 之间。必须注意表笔的正、负极性，红表笔（"＋"表笔）接被测电路的高电位端，黑表笔（"－"表笔）接低电位端，让电流从"＋"表笔流入，"－"表笔流出。如果不知道被测点电位高低，可将表笔轻轻地试触一下被测点，若指针反偏，说明表笔极性反了，交换表笔即可。

3. 电位的测量

使用万用表直流电压档测量 A、B、C 各点电位，并将测量结果记录在表 1-2 中。

表 1-2 电位测量记录表

电位	V_A/V	V_B/V	V_C/V
O 为参考点			

项目评价标准

基本物理量的测量项目评价标准见表 1-3。

表 1-3 基本物理量的测量项目评价标准

序号	考核内容	评分标准	分数分配	得分
1	简单汽车照明电路的搭建	1. 电路连接不正确，扣 10 分 2. 接通电源，小灯泡不发光，扣 10 分 3. 电路连接不美观、整齐，酌情扣 1～10 分	30 分	
2	电压、电流的测量	1. 不能正确使用万用表，扣 10 分 2. 测量数据不准确，扣 10 分 3. 测量中，出现短路、损坏元器件或仪表情况，扣 10 分	30 分	
3	电位的测量	1. 不能正确使用万用表，扣 10 分 2. 测量数据不准确，扣 10 分 3. 测量中，出现短路、损坏元器件或仪表情况，扣 10 分	30 分	
4	安全文明生产	1. 违反安全操作规定，扣 3～5 分 2. 工具摆放不整齐，卫生不好，扣 3～5 分	10 分	

项目实训报告

1) 设计封面，包括项目名称、班级、姓名、指导老师、时间等。

2) 实训报告内容包括项目器材、内容、步骤、填写好的各记录表格，写出测量心得体会和测量过程中的注意事项。

项目1.2 电阻的测量及应用

项目相关知识

一、电阻元件及其特性

电阻的测量及应用

1. 电阻的基本知识

电流通过导体时，导体对电流有一定的阻碍作用，这种阻碍作用称为电阻。在电路中起电阻作用的元件称为电阻器，通常简称电阻，用字母 R 表示。电阻的基本单位是欧姆（Ω），常用电阻单位还有千欧（kΩ）、兆欧（MΩ）。它们的换算关系为

$$1\text{M}\Omega = 10^3 \text{k}\Omega = 10^6 \Omega$$

电阻是组成电路的基本元件之一，在电路中，电阻用来稳定和调节电流、电压，作分流器与分压器，也可以作为消耗能量的负载。

2. 电阻的分类

常用电阻一般分为两大类，阻值固定不变的电阻称为固定电阻，阻值连续可变的电阻称为可变电阻。由于制作材料不同，电阻可分为碳膜电阻、金属膜电阻及线绕电阻等；按用途不同，电阻可分为精密电阻、高频电阻、功率型电阻及敏感性电阻等。

碳膜电阻性能参数一般、价格便宜，在电子产品中大量使用。金属膜电阻温度系数小、稳定性好、噪声低，与碳膜电阻相比体积小但价格稍贵些。线绕电阻工作稳定可靠、误差小、耐温较高。

3. 电阻的主要参数

电阻的结构、材料不同，性能会有一定的差异。在选择和使用电阻时，必须掌握各种电阻的特性。

（1）电阻的标称值和允许偏差　电阻的标称值是指在电阻体上所标示的阻值，电阻值的范围很广，可从零点几欧到几十兆欧。通用的标称值有 E24、E12、E6 系列，通用电阻标称值系列和允许偏差见表1-4，电阻的标称值为表中所列数值的 10^n 倍（n 为正整数、负整数或零）。例如，表中 E24 系列包括 0.1Ω、1.0Ω、10Ω、100Ω、1kΩ、1MΩ 等阻值。

表1-4　通用电阻标称值系列和允许偏差

系列	允许偏差（%）	电阻的标识
E24	±5（Ⅰ级）	1.0、1.1、1.2、1.3、1.4、1.5、1.6、1.8、2.0、2.2、2.4、2.7、3.0、3.3、3.6、3.9、4.3、4.7、5.1、5.6、6.2、6.8、7.5、8.2、9.1
E12	±10（Ⅱ级）	1.0、1.2、1.5、1.8、2.2、2.7、3.3、3.9、4.7、5.6、6.8、8.2
E6	±20（Ⅲ级）	1.0、1.5、2.2、3.3、4.7、6.8

电阻的标称值与实测值不可能完全相同，总是存在一定差别，它们之间允许的最大偏差范围被称为电阻的允许偏差。偏差是指标称值和实际阻值的差值与标称值之比的百分数。通常电阻的允许偏差分为三级：Ⅰ级（±5%）、Ⅱ级（±10%）、Ⅲ级（±20%）。精密电阻允许偏差要求较高，如 ±1%、±2% 等。

（2）**电阻的额定功率** 在标准大气压和一定的环境温度（(20±5)℃）下，电阻在电路中长期连续工作而不损坏或不显著改变其性能所允许消耗的最大功率称为额定功率。

一般电阻的额定功率越大，电阻的体积也越大，有些电阻的额定功率直接标在电阻上，有些电阻则用符号标示额定功率的大小。电阻的功率标示如图1-15所示。

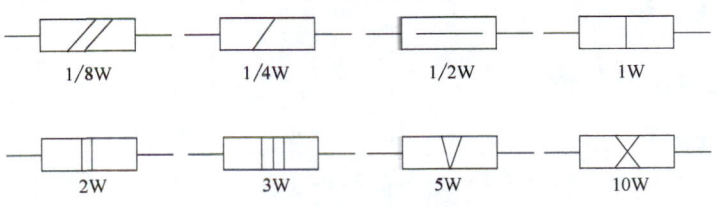

图1-15 电阻的功率标示

（3）**电阻温度系数** 电流通过电阻时，电阻发热而温度升高，它的阻值也随之发生变化。温度每变化1℃所引起电阻值的相对变化，称为电阻的温度系数，用α表示。温度系数越小，电阻的稳定性越好。若阻值随温度的升高而增大，则该电阻具有正的温度系数；若阻值随温度升高而减小，则称该电阻具有负的温度系数。

4. 电阻的标志方法

电阻的标志方法主要有直标法、文字符号法和色标法。

（1）**直标法** 直标法是指用阿拉伯数字和单位符号在电阻体表面直接标出标称值，用百分数表示允许偏差的方法。其优点是直观，易于判读。

（2）**文字符号法** 文字符号法是指用阿拉伯数字和字母符号按一定规律的组合来表示标称值，允许偏差也用文字符号表示。其优点是识读方便、直观，多用在大功率电阻上。

文字符号法规定：表示阻值时，字母符号Ω、k、M、G、T之前的数字表示阻值的整数值，之后的数字表示阻值的小数值，字母符号表示阻值的单位。阻值允许偏差的文字符号表示法见表1-5。

例如：0.22Ω→Ω22，2.2Ω→2Ω2，2.2kΩ→2k2，22kΩ→22k，220kΩ→220k，2.2MΩ→2M2。

表1-5 阻值允许偏差的文字符号表示法

文字符号	B	C	D	F	G	J	k	M	N
允许偏差（%）	±0.1	±0.2	±0.5	±1	±2	±5	±10	±20	±30

（3）**色标法** 色标法是指用色环、色点或色带在电阻表面标出标称值和允许偏差的方法。色标符号规定见表1-6，它具有标志清晰，各个角度都能看到的特点，色标法有四色环和五色环两种。

表1-6 色标符号规定

颜色	有效数字	倍乘数	允许偏差（%）	颜色	有效数字	倍乘数	允许偏差（%）
黑色	0	10^0	—	紫色	7	10^7	±0.1
棕色	1	10^1	±1	灰色	8	10^8	—
红色	2	10^2	±2	白色	9	10^9	+50~-20

（续）

颜色	有效数字	倍乘数	允许偏差（%）	颜色	有效数字	倍乘数	允许偏差（%）
橙色	3	10^3	—	金色	—	10^{-1}	±5
黄色	4	10^4	—	银色	—	10^{-2}	±10
绿色	5	10^5	±0.5	无色	—	—	±20
蓝色	6	10^6	±0.25				

色环电阻的读法如图 1-16 所示。

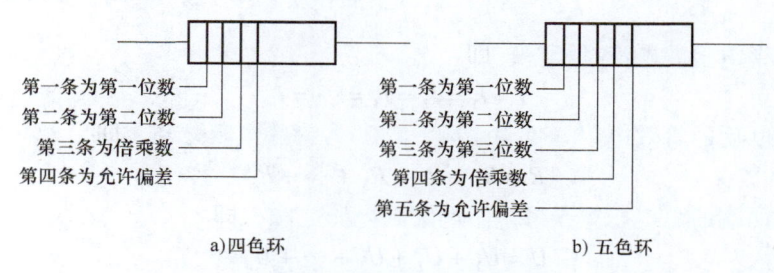

a) 四色环　　　　　　　　b) 五色环

图 1-16　色环电阻的读法

1) **四色环**。普通电阻大多用四色环色标法来标注。其前两条色环表示阻值的有效数字，第三条色环表示阻值的倍乘数，第四条色环表示阻值的允许偏差。

2) **五色环**。精密电阻大多用五色环色标法来标注。其前三条色环表示阻值的有效数字，第四条色环表示阻值倍乘数，第五条色环表示阻值允许偏差。

例如：红紫橙金表示 $27×10^3×(1±5\%)$ Ω = $27×(1±5\%)$ kΩ

棕紫绿金银表示 $175×10^{-1}×(1±10\%)$ Ω = $17.5×(1±10\%)$ Ω

注意：实物电阻，从离根部近的一端作为起始端开始读颜色。

5. 电阻的简单测试

电阻的检测，主要是利用万用表的欧姆档来测量电阻的电阻值，将测量值与标称值对比，从而判断电阻是否能够正常工作，是否断路、短路及老化。

1) 从外观看电阻本身有无破损、脱皮，引脚有无脱落及松动现象，从外表排除电阻有无断路情况。

2) 使用万用表测试时，选择欧姆档合适量程测量。若测量值基本等于标称值，则电阻正常；若阻值接近零，则电阻短路；若测量值远小于标称值，则电阻损坏；若测量值远大于标称值，则电阻断路。

3) 注意事项：选择开关应置于合适的档位，使指针停留在中心值的附近；两手不能同时接触电阻的两根引脚，以免人体电阻与被测电阻并联，影响测试精度；对于几欧的小电阻，应注意使表笔与电阻引出线接触良好，必要时可将电阻两引脚上的氧化物刮掉再进行检测；万用表调零短接时，时间不应过长，特别是 $R×1$ 档，以免过多消耗表内电池的电能。

二、电阻的连接

1. 电阻的串联

两个或两个以上的电阻顺次连接且中间无分支的连接方式，称为电阻的串联。电阻的串联如图 1-17 所示，根据实验可以发现，它有如下特点：

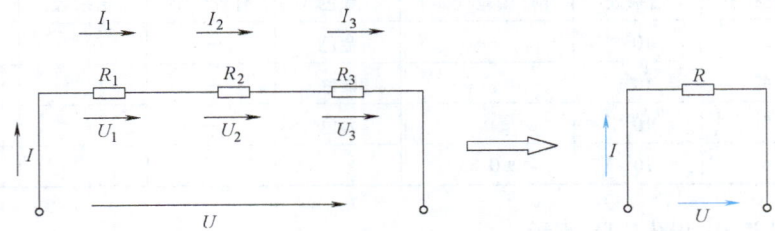

图 1-17　电阻的串联

1）流过每个电阻的电流都相等，即
$$I = I_1 = I_2 = I_3 = \cdots = I_n$$

2）电阻串联后的等效电阻（即总电阻）等于各串联电阻之和，即
$$R = R_1 + R_2 + R_3 + \cdots + R_n$$

3）总电阻两端的总电压等于各电阻两端的电压之和，即
$$U = U_1 + U_2 + U_3 + \cdots + U_n$$

4）每个电阻上分配到的电压与电阻成正比，即
$$\frac{U_1}{R_1} = \frac{U_2}{R_2} = \cdots = \frac{U_n}{R_n} = \frac{U}{R} = I$$

由上式可得到电阻串联的分压公式：
$$U_i = \frac{R_i}{R} U = \frac{R_i}{R_1 + R_2 + \cdots + R_n} U$$

实际中，电阻的串联应用很多，如在负载的额定电压低于电源电压的情况下，常需要给负载串联一个电阻，以承担一部分电压；电压表可利用串联不同的电阻来扩大量程；有时为了限制负载中通过过大的电流，也可以将负载串联一个限流电阻。如果需要调节电路中电流的大小，一般也可以在电路中串联一个变阻器进行调节。

2. 电阻的并联

两个或两个以上的电阻首尾接在相同两点之间的连接方式，称为电阻的并联。电阻的并联如图 1-18 所示，常用符号"//"表示电阻之间的并联。并联电路有如下特点：

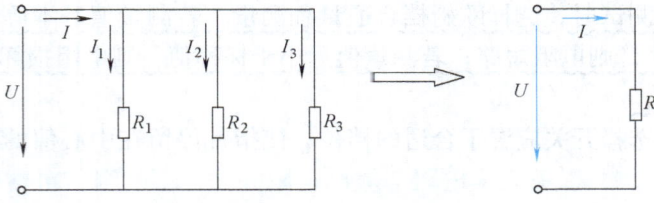

图 1-18　电阻的并联

1）并联电阻两端的电压相等，等于总电压，即
$$U = U_1 = U_2 = U_3 = \cdots = U_n$$

2）总电流等于各电阻分电流之和，即
$$I = I_1 + I_2 + I_3 - \cdots + I_n$$

3) 电路总电阻（等效电阻）的倒数等于各分电阻倒数之和，即

$$\frac{1}{R} = \frac{1}{R_1} + \frac{1}{R_2} + \cdots + \frac{1}{R_n}$$

4) 每个电阻分配到的电流与电阻成反比，即

$$I_1 R_1 = I_2 R_2 = I_3 R_3 = \cdots = I_n R_n = IR = U$$

对两个电阻并联的电路，可得分流公式：

$$I_1 = \frac{R_2}{R_1 + R_2} I$$

$$I_2 = \frac{R_1}{R_1 + R_2} I$$

实际中，电阻并联的应用很广泛，如汽车上起动机、刮水器、照明灯等工作电压相同的设备都采用并联接法，并联之后电气设备之间的工作互不影响。另外，如果某一点阻值偏大，可以通过并联电阻的方式，使总电阻减小，以满足电路的需要。在电工测量中，经常在电流表的表头两端并联分流电阻，以扩大电流表的量程。

三、特殊电阻在汽车上的应用

1. 热敏电阻

热敏电阻是由对温度敏感的陶瓷半导体材料制成的，它的阻值随温度变化有明显的改变。在工作温度范围内，电阻值随温度升高而增加的热敏电阻称为正温度系数热敏电阻。这种电阻在汽车发动机、仪器仪表等测温、感温部件中广泛应用。阻值随温度升高而减少的热敏电阻称为负温度系数热敏电阻，这种电阻是由镍、铜、钴、锰等金属氧化物按适当比例混合后，高温烧结而成的，广泛用于汽车发动机冷却液温度传感器、进气温度传感器、润滑油温度传感器和空调用温度传感器中。

在汽车上装有很多热敏电阻式温度传感器，常用于检测冷却水、机油的温度，其中使用最多的是水温表以及电喷发动机的水温传感器。热敏电阻式冷却水温度传感器是利用热敏电阻阻值随温度的变化而变化这一特性来检测温度的。当温度较低时，传感器的阻值很大；反之，当温度升高时，其阻值减小。它一般安装在发动机缸体、缸盖的水套或节温器壳内并伸入水套中，与冷却水接触，用来检测发动机的冷却水温度。

2. 压敏电阻

压敏电阻是在一定电流、电压范围内阻值随电压而变的电阻，或者说是阻值对电压敏感的电阻。现在大量使用的是氧化锌压敏电阻。

压敏电阻在低电压时具有较大的电阻。当电压较大时，电流则增大许多倍，即电阻变小。压敏电阻可用于过电压保护，将它并联在被保护元件两端，当出现过电压时，其电阻急剧减小，将电流分流，可以保护并联在一起的元件。

（1）半导体压敏电阻式进气压力传感器　压力转换元件是利用半导体的压阻效应制成的硅膜片，其变形与压力成正比，利用电桥将硅膜片的变形转换成电信号。进气压力传感器是在采用歧管压力方式计量进气量的电控汽油喷射系统中最重要的传感器，依据进气压力传感器信号的产生原理可分为半导体压敏电阻式、电容式、膜盒传动的可变电感式和表面弹性波式等。半导体压敏电阻式进气压力传感器是由压力转换元件（硅片）、把转换元件输出信

号进行放大的混合集成电路和真空室组成。半导体压敏电阻式进气压力传感器具有尺寸小、精度高、成本低及响应性、再现性、抗振性较好等优点，在当今汽车发动机电子控制系统中应用较为广泛。

(2) 电阻应变计式碰撞传感器　电阻应变计式碰撞传感器如图 1-19 所示，当膜片产生变形时，应变电阻的阻值就会发生变化。为了提高传感器的检测精度，应变电阻一般都连接成桥式电路，并设计有稳压和温度补偿电路。当汽车遭受碰撞时，振动块振动，缓冲介质随之振动，应变计的应变电阻产生变形，阻值随之发生变化，经过信号处理与放大后，传感器输出端的信号电压就会发生变化。

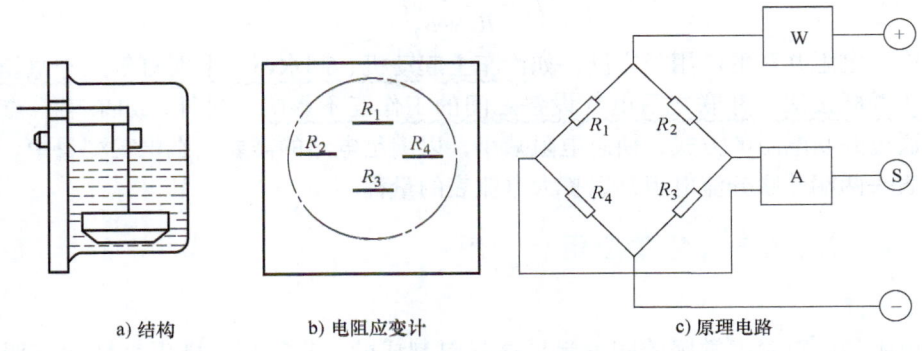

a) 结构　　　b) 电阻应变计　　　c) 原理电路

图 1-19　电阻应变计式碰撞传感器

3. 光敏电阻

光敏电阻是利用半导体的光电导效应制成的一种特殊电阻，对光线十分敏感，它的阻值能随着外界光照强弱变化而变化。在无光照射时，它呈高阻状态；当有光照射时，其电阻值迅速减小。目前生产的光敏电阻主要是硫化镉（CdS）光敏电阻，为提高其光灵敏度，在硫化镉中掺入铜、银等杂质。

汽车中的光电式光量传感器采用的是光敏电阻，当有光照射到传感器上时，光敏电阻阻值发生变化，即传感器把周围亮度的变化转化为电阻值的变化，并以电信号的形式输入给控制器，在汽车上可用于各种灯具亮、灭的自动控制。

光电式光量传感器在汽车灯光控制器上的应用如图 1-20 所示，灯光控制器安装在仪表板的上方，到傍晚时，它控制尾灯点亮；当天色更晚时，控制前照灯点亮；当对面来车时，还具有变光功能。

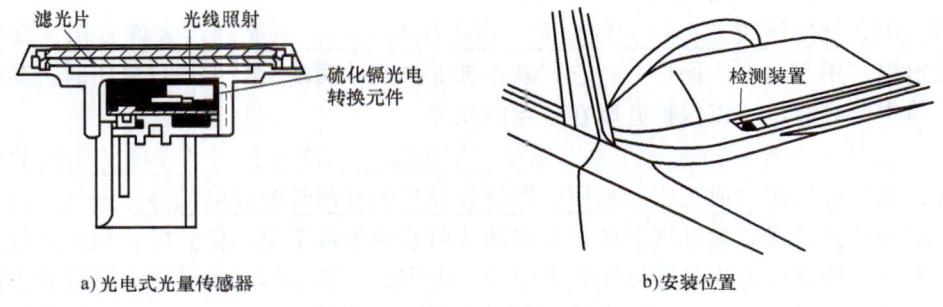

a) 光电式光量传感器　　　b) 安装位置

图 1-20　光电式光量传感器在汽车灯光控制器上的应用

项目设备与器材

万用表 1 个、各种不同标志的固定电阻和可调电阻若干、烧杯 1 个、玻璃温度计 1 个、汽车水温传感器 1 个。

项目内容和步骤

1. 分类

观察所给电阻,对电阻进行分类并读出标称值,各类电阻选取 5 个,把标称值填入表 1-7 中。

表 1-7　元件按功能进行分类统计

型号					
标称值					
实际值					

2. 电阻值的测量

首先检查外观,看电阻本身有无破损、脱皮,引脚脱落及松动现象,从外表排除电阻有无断路情况;再用万用表测量电阻的阻值,根据标称值分析实际偏差是否在允许范围内。测量可变电阻两固定端及固定端与可调端之间阻值,检测其质量是否良好。

3. 水温传感器的检测

水温传感器实际上是一个负温度系数的热敏电阻,温度越高,阻值越小;温度越低,阻值越大。将水温传感器置于烧杯的水中,加热杯中的水,同时用万用表测量在不同温度下传感器两接线之间的电阻。水温传感器的检测如图 1-21 所示,将结果填入表 1-8 中,将测得的电阻值与标称值相比较。

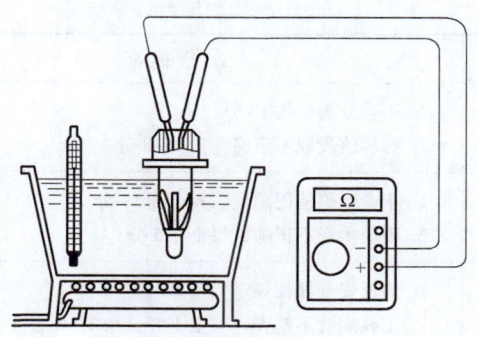

图 1-21　水温传感器的检测

表 1-8　水温传感器的测量记录表

水温/℃	20	30	40	50	60	70	80	90	100
电阻值/kΩ									

4. 电路等效电阻的测量

按图 1-22 所示在实验台上进行电路连接，选择万用表欧姆档，将万用表连接在待测电路两端，测量电路等效电阻。待指针稳定后准确读数，并将测量结果记录在表 1-9 中。

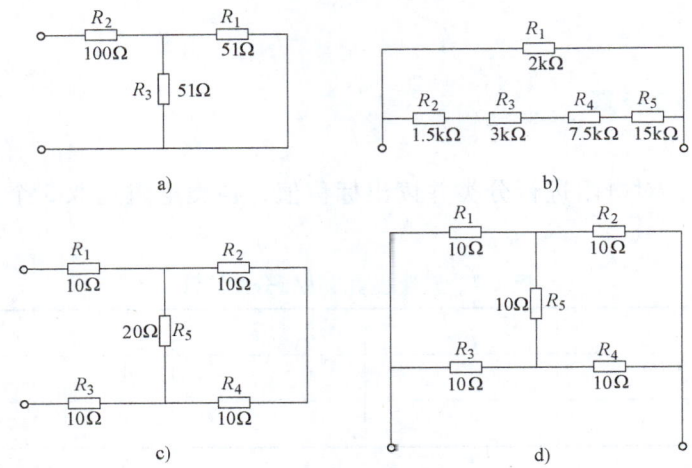

图 1-22 实训电路图

表 1-9 电路等效电阻的测量记录表

电路图号	a	b	c	d
等效电阻/Ω				

项目评价标准

电阻的检测项目评价标准见表 1-10。

表 1-10 电阻的检测项目评价标准

序号	考核内容	评分标准	分数分配	得分
1	外形分类	1. 不会分类，扣 10 分 2. 标称值读取不正确，扣 2~8 分	20 分	
2	阻值的测量	1. 不会正确使用测量工具，扣 10 分 2. 阻值测量不正确，每个扣 5 分	70 分	
3	安全文明生产	1. 违反安全操作规定，扣 3~5 分 2. 工具摆放不整齐，卫生不好，扣 3~5 分	10 分	

项目实训报告

1) 设计封面，包括项目名称、班级、姓名、指导老师、时间等。

2) 实训报告内容包括项目器材、内容、步骤、填写好的各记录表格，写出测量心得体会和测量过程中的注意事项。

项目1.3　电路的基本定律及分析方法

电路的基本定律及基本分析方法

项目相关知识

一、欧姆定律

在一段电路或全电路中，各基本物理量之间存在着一定的制约关系，这种制约关系称为欧姆定律。欧姆定律是电路的基本定律之一，有部分电路和全电路两种形式。

1. 部分电路欧姆定律

不含电源的一段电路称为部分电路，实验证明，在部分电路中，通过电路的电流与这段电路两端的电压成正比，而与电阻成反比，这一关系称为部分电路欧姆定律。部分电路欧姆定律示意图如图 1-23 所示。

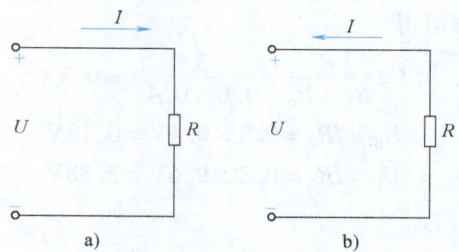

图 1-23　部分电路欧姆定律示意图

当 U、I 参考方向相同时，如图 1-23a 所示，欧姆定律为 $I = \dfrac{U}{R}$。

当 U、I 参考方向相反时，如图 1-23b 所示，欧姆定律为 $I = -\dfrac{U}{R}$。

式中负号表示 U、I 参考方向相反。

例 1-2　电路如图 1-23 所示，已知 $R = 10\Omega$，$U = 10\mathrm{V}$，求图 1-23 中的电流 I。

解： 对图 1-23a 而言

$$I = \frac{U}{R} = \frac{10}{10}\mathrm{A} = 1\mathrm{A}$$

对图 1-23b 而言

$$I = -\frac{U}{R} = -\frac{10}{10}\mathrm{A} = -1\mathrm{A}$$

电流为正值，说明电流的实际方向与参考方向相同；电流为负值，说明电流的实际方向与参考方向相反，因此只要知道参考方向和计算结果就可推定实际方向。

2. 全电路欧姆定律

含有电源的闭合电路称为全电路，如图 1-24 所示，其中直流电源用理想电压源 E 和内阻 R_0 的串联电路表示，U 是电源的端电压（输出电压），R_L 是负载电阻。实验证明：在一个全电路中，电流 I 的大小与电源电动势 E 成正比，与电路的总电阻 $R_L + R_0$ 成反比，这就是全电路欧姆定律。

在 E 和 I 参考方向一致时，欧姆定律用公式表示为 $I = \dfrac{E}{R_L + R_0}$。

由此式可见，电路中的电流不仅与电源电动势、外电路电阻的大小有关，还与内电阻有关。一般情况下，要求电源电阻越小越好，这样就可以更多地向外电路提供电流。

例 1-3　电路如图 1-24 所示，已知 $E = 3\text{V}$，$R_0 = 0.4\Omega$，$R_L = 9.6\Omega$，求电流 I、内电阻压降及电源端电压 U。

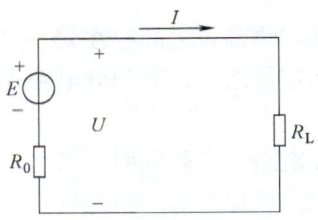

图 1-24　全电路欧姆定律

解：由全电路欧姆定律可得

$$I = \dfrac{E}{R_L + R_0} = \dfrac{3}{9.6 + 0.4}\text{A} = 0.3\text{A}$$

内电阻压降为　　　　$U_0 = IR_0 = 0.3 \times 0.4\text{V} = 0.12\text{V}$

电源端电压为　　　　$U_L = IR_L = 0.3 \times 9.6\text{V} = 2.88\text{V}$

二、基尔霍夫定律

欧姆定律是分析和计算电路的基本定律。但在复杂电路的分析和计算中，只应用欧姆定律是不够的，还需要应用基尔霍夫电流定律和电压定律。电流定律反映了节点上各电流之间的关系，而电压定律反映了回路中各段电压之间的关系。

1. 电路有关术语

1）节点：电路中三条或三条以上支路的连接点称为节点。在图 1-25 所示电路中共有两个节点，即 A 和 B。

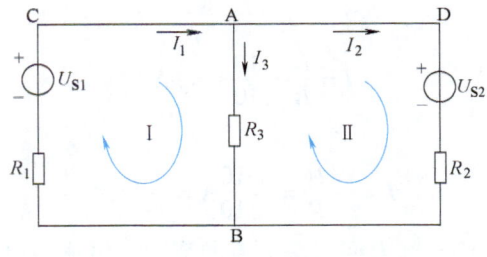

图 1-25　电路举例

2）支路：电路中，通过同一电流的一段电路称为支路。在图 1-25 中，共有 ABC、ADB、AB 三条支路。前两条支路含有电源，称为有源支路，后一条称为无源支路。

3）回路：电路中任一闭合路径称为回路，内部不含其他支路的回路称为网孔。图 1-25 中共有 CABC、ADBA、CADBC 三个回路，CABC、ADBA 为两个网孔。

2. 基尔霍夫电流定律（KCL）

基尔霍夫电流定律用以约束连接在同一节点上的各个支路之间的电流关系。

基尔霍夫电流定律也称为节点电流定律，内容为：在任一时刻，电路中流入任一节点的电流之和等于流出该节点的电流之和，用公式表示为 $\sum I_i = \sum I_o$。

如果以流入节点电流为正，流出节点电流为负，则 KCL 方程可表示为 $\sum I = 0$。

定律还可叙述为：任一瞬间，电路中流经任一节点的电流的代数和恒等于零。

如图 1-25 电路中的节点 A，由 KCL 方程可得

$$I_1 - I_2 - I_3 = 0$$

需要注意的是，电流定律中所指的"流入"与"流出"，均以参考方向为依据。因此在列方程之前，必须将所有的电流参考方向选定，并标在电路图上。根据计算结果，有些支路的电流可能是负值，这是由于所选定的电流参考方向与实际方向相反所致。

KCL 方程不仅适用于节点，而且也适用于任意假定的闭合面（广义节点），即在任意时刻，通过任何一个闭合面的电流代数和也恒为零。KCL 方程的推广使用电路如图 1-26 所示，用一点画线圆对三角形电路做一闭合面。对闭合面内三个节点 A、B、C 应用基尔霍夫电流定律可列出方程

$$I_A + I_B + I_C = 0$$

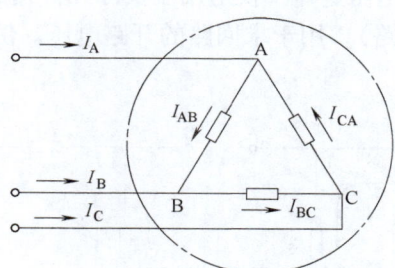

图 1-26　KCL 方程的推广使用电路

3. 基尔霍夫电压定律（KVL）

基尔霍夫电压定律反映了电路的任一回路中各支路电压之间的关系。定律可叙述为：对电路的任一闭合回路，沿选定的方向（顺时针或逆时针方向）绕行一周，各段电压的代数和等于零。KVL 方程表示为

$$\sum U = 0$$

在回路中应用该定律时，必须先进行两个设定：一是任意设定回路的绕行方向（顺时针或逆时针）；二是设定回路中各元件上的电压参考方向。

这里的闭合回路是指从电路中的某一点出发，按照一个绕行方向回到出发点时所经过的闭合环路。在绕行过程中，所经过的各个电压方向与绕行方向相同时电压前取正号，相反时电压前取负号，这是代数和的含义。这里的电压方向也是事先假设的参考方向。

KVL 应用如图 1-27 所示，图中给出了某电路的一个回路，按图选定的绕行方向和各元件电压的参考方向，从 a 点出发绕行一周，有

$$U_1 - U_2 - U_3 + U_4 = 0$$

其中，$U_1 = I_1R_1$，$U_2 = U_{S1}$，$U_3 = I_2R_2$，$U_4 = U_{S2}$，代入上式可得
$$I_1R_1 - U_{S1} - I_2R_2 + U_{S2} = 0$$
整理得
$$I_1R_1 - I_2R_2 = U_{S1} - U_{S2}$$
或
$$\sum IR = \sum U_S$$
此式可以描述为：任一回路内电阻上电压的代数和等于电压源电压的代数和。

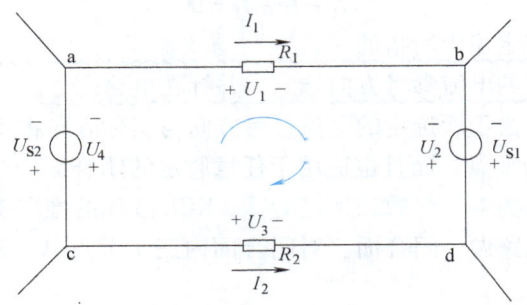

图 1-27　KVL 应用

需要指出的是，基尔霍夫电压定律不仅适用于实际元件构成的闭合电路，也可以推广应用到回路的部分电路（广义回路），用于求回路的开路电压。例如，根据图 1-28 所示的电路求 U_{AB}，因为

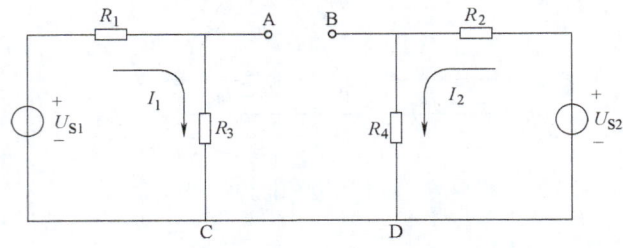

图 1-28　电路举例

$$I_1 = \frac{U_{S1}}{R_1 + R_3}$$

$$I_2 = \frac{U_{S2}}{R_2 + R_4}$$

对于回路 ABCD，由基尔霍夫电压定律得
$$U_{AB} + I_2R_4 - I_1R_3 = 0$$
因此可推出
$$U_{AB} = I_1R_3 - I_2R_4$$

三、支路电流法

在复杂电路的分析计算中，支路电流法是最基本的方法。它是以支路电流为未知量，直

接应用基尔霍夫两条定律列出电路方程式，从而解出支路电流的一种方法。支路电流法分析步骤如下：

1）假定各支路电流、元件电压的参考方向及回路绕行方向。
2）对节点列 KCL 方程。如图 1-29 所示，对两个节点 a、b 列 KCL 方程。

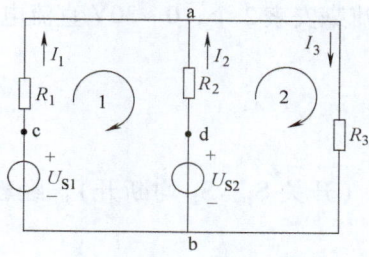

图 1-29　支路电流法

节点 a：
$$I_1 + I_2 - I_3 = 0$$
节点 b：
$$-I_1 - I_2 + I_3 = 0$$

这两个方程实际上是相同的，其中只有一个是独立方程。因此对于 n 个节点，根据基尔霍夫电流定律可以列 $n-1$ 个独立的节点电流方程。

3）列回路 KVL 方程。若有 m 条支路，根据基尔霍夫电压定律可列 $m-n+1$ 个独立回路电压方程。一般情况下选取网孔列 KVL 方程。图 1-29 中，回路 1、2 为网孔。

回路 1：
$$I_1 R_1 - I_2 R_2 + U_{S2} - U_{S1} = 0$$
回路 2：
$$I_3 R_3 - U_{S2} + I_2 R_2 = 0$$

4）代入数据，求解联立方程，得出各支路电流或各电阻上的压降。

例 1-4　图 1-29 中，已知 $U_{S1}=20\text{V}$，$U_{S2}=40\text{V}$，$R_1=R_3=10\Omega$，$R_2=5\Omega$，求支路电流 I_1、I_2、I_3。

解：（1）选定回路方向、各支路电流方向如图 1-29 所示。
（2）列 KCL 方程。电路有两个节点，只能列 1 个 KCL 方程。对于节点 a 有
$$I_1 + I_2 - I_3 = 0$$
（3）列回路 KVL 方程。选网孔 1、2 列方程：
$$I_1 R_1 - I_2 R_2 + U_{S2} - U_{S1} = 0$$
$$I_3 R_3 - U_{S2} + I_2 R_2 = 0$$
（4）代入已知数，求解方程组：
$$I_1 + I_2 = I_3$$
$$10\Omega \cdot I_1 - 5\Omega \cdot I_2 + 40\text{V} - 20\text{V} = 0$$
$$10\Omega \cdot I_3 - 40\text{V} + 5\Omega \cdot I_2 = 0$$

解得

$$I_1 = -0.5\text{A} \quad I_2 = 2\text{A} \quad I_3 = 2.5\text{A}$$

项目设备与器材

电工电子实验台，可调直流稳压电源 2 台，20Ω、50Ω、100Ω 电阻各 1 个，0~100mA 直流毫安表 1 个，0~500mA 直流毫安表 2 个，0~30V 直流电压表 1 个等。

项目内容和步骤

1. 电路连接

按照图 1-30 所示连接电路（开关 S_1、S_2 均断开），经教师检查无误后，方可进行下一步。

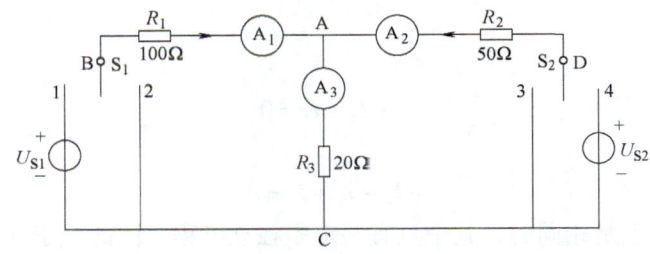

图 1-30　基尔霍夫定律的验证

2. 电流和电压的测量

调节稳压电源输出电压 $U_{S1}=15\text{V}$，$U_{S2}=3\text{V}$，开关 S_1、S_2 分别合向点 1 和 4。读取电流表的数值，填入表 1-11 中，把电流的理论计算值与测量值相比较。

用电压表分别测量各元件电压 U_{AB}、U_{AC}、U_{AD}，填入表 1-11 中，把电压的理论计算值与测量值相比较。

注意：<u>在电路中串联电流表时，电流表的极性应严格按照图中所标电流参考方向连接，如果表针反偏，则应将电流表"+""-"接线柱上的导线对换，但其读数应记为负值，这就是参考方向的实际意义，测量电压时也会有同样情况。</u>

表 1-11　电压、电流数据记录表

	数　值　栏					验　算　栏	
	I_1/mA	I_2/mA	I_3/mA	U_{AB}/V	U_{AC}/V	U_{AD}/V	ΣI 是否为零	ΣU 是否为零
理论计算值								
测量值								

3. 验证

用表 1-11 中的数据，验证基尔霍夫定律的正确性。

项目评价标准

电路的基本定律及分析方法项目评价标准见表 1-12。

模块 1 直流电路

表 1-12 电路的基本定律及分析方法项目评价标准

序号	考核内容	评分标准	分数分配	得分
1	电路连接	1. 不会正确使用实验台，扣 30 分 2. 电路连接不正确、不美观，酌情扣 2～10 分	30 分	
2	电流和电压的测量	1. 不会正确使用电流表、电压表，扣 10 分 2. 数值测量不正确，扣 10 分 3. 仪表损坏，扣 10 分	30 分	
3	用基尔霍夫定律计算	1. 不会使用基尔霍夫定律求解电压、电流，扣 20 分 2. 数值计算不正确，扣 10 分	30 分	
4	安全文明生产	1. 违反安全操作规定，扣 3～5 分 2. 工具摆放不整齐，卫生不好，扣 3～5 分	10 分	

项目实训报告

1）设计封面，包括项目名称、班级、姓名、指导老师、时间等。

2）实训报告内容包括项目器材、内容、步骤、填写好的各记录表格，在节点 A 验证基尔霍夫电流定律，在回路 ABCDA 验证基尔霍夫电压定律。将计算结果与测量数据对照，如有误差，分析其产生原因。

项目 1.4 电 容 器

项目相关知识

一、电容器基础知识

电容器是电路的常用元件，在电路中发挥着其他元件无法替代的作用。

1. 电容器的初步认识

电容器是由两个相互靠近且中间隔以绝缘材料的金属导体构成的，这两个金属导体称为电容器的两个极板，分别用导线引出。中间的绝缘材料称为介质，常见的介质有空气、云母、陶瓷等。电容器的结构和符号如图 1-31 所示。

电容器最基本的特性是能够储存电荷，当电容器极板间加上电压时，两极板上将出现等量异号电荷，并在两极板间形成电场，储存电场能。不同的电容器储存电荷的本领是不一样的，对于给定的电容器，它储存电荷的电量 Q 与电容器两端电压 U 的比值是一个常数，这个常数反映了电容器储存电荷能力的大小，通常把这个常数定义为电容器的电容量，简称电容，用符号 C 表示，即

$$C = \frac{Q}{U}$$

式中，Q 为极板上的电荷量，单位是库仑（C）；U 为两极板间的电压，单位是伏特（V）；

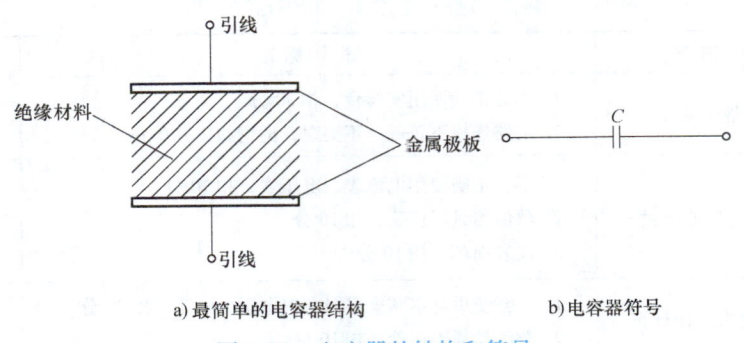

图 1-31 电容器的结构和符号

C 为电容器的电容量，单位是法拉，简称法，用字母 F 表示。

由定义式可得 $1F = 1C/V$，即 1F 的电容量在数值上等于电容器在 1V 电压作用下，极板上储存 1C 的电荷量。电容常用单位有微法（μF）和皮法（pF）。它们之间的换算关系为：$1F = 10^6 \mu F$，$1\mu F = 10^6 pF$。

2. 电容器的种类

电容器的种类很多，按照容量是否可调，可分为固定电容器、可变电容器和微调电容器等；按照介质材料的不同，可分为空气介质电容器、纸介电容器、瓷介电容器、云母电容器、玻璃釉电容器、电解电容器等。其中，电解电容器有正、负极之分，使用时应将正极接高电位，负极接低电位。常见电容器的外形和图形符号如图 1-32 所示。

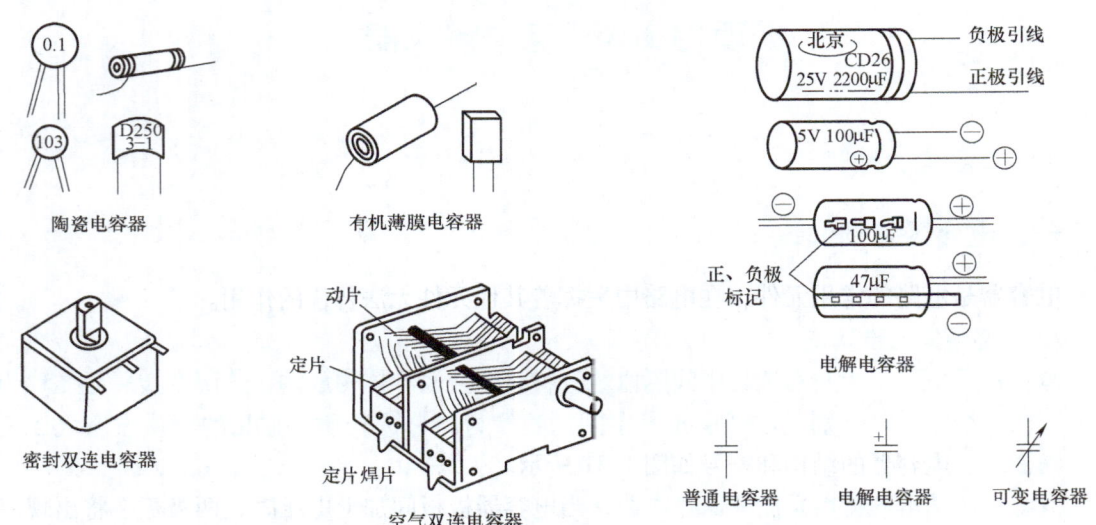

图 1-32 常见电容器的外形和图形符号

3. 电容器的主要参数

（1）电容器的标称容量和允许偏差 在电容器上标注的电容量值，称为标称容量。不同类别的电容器一般采用不同系列的标称值。电容的标称容量与其实际容量之差，再除以标称容量所得的百分比，就是允许偏差。

（2）电容器的额定工作电压 电容器的额定工作电压是指在规定温度范围内，电容器长期安全工作时能承受的最大直流电压。使用中,实际加在电容器两端的电压应小于其额定工作电压。在交流电路中,要求交流电压的最大值不得超过额定工作电压值,否则,电容器会被击穿。

(3) 绝缘电阻　电容器的绝缘电阻是指电容器两极之间的电阻,也称漏电阻,表示电容器的漏电大小。电容器的绝缘电阻是表示电容器绝缘性能好坏的一个重要参数,绝缘电阻越大,表明绝缘性能越好,其绝缘电阻的大小取决于介质绝缘质量以及电容器的结构和制造工艺。

在实际使用电容器时,往往会遇到现有电容器的容量不合适,或额定电压不符合要求的情况,这时,可将若干个电容器适当地连接起来,以满足实际电路的需要。

当电容器额定电压能满足电路的要求,但容量不足时,可将几个容量不同的电容器并联起来,以获得较大容量。并联后的总容量等于各并联电容器的容量之和,即

$$C = C_1 + C_2 + C_3 + \cdots + C_n$$

当现有电容器的容量大于所需要的容量时,则可以把几个电容器串联起来使用。电容器串联时,总电容的倒数等于各串联电容的电容倒数之和,即

$$\frac{1}{C} = \frac{1}{C_1} + \frac{1}{C_2} + \cdots + \frac{1}{C_n}$$

4. 电容器的标志

电容器的容量标志方法有如下 3 种。

(1) 直标法　在产品的表面上直接标出产品的主要参数和技术指标的方法,其容量的有效值用阿拉伯数字表示,单位用字母表示,允许偏差用百分数表示。如在电容器上标注"33pF ±5%　32V"。有的电容器上不标单位,直接用 1 ~ 4 位数字表示,则容量单位为 pF,如用零点几或零点零几表示,其单位为 μF,例如"2200"表示 2200pF,"0.01"表示 0.01μF。

(2) 文字符号法　将需要标志的主要参数与技术性能用文字、数字符号有规律地组合,标志在产品的表面上。采用文字符号法时,将容量的整数部分写在容量单位标志符号前面,小数部分放在容量单位标志符号后面,如 3.3pF 标志为 3p3,1000pF 标志为 1n,6800pF 标志为 6n8,2.2mF 标志为 2m2。

(3) 数码标志法　体积较小的电容器常用数码标志法,一般用 3 位整数,第 1 位、第 2 位为有效数字,第 3 位表示有效数字后面零的个数,单位为皮法(pF)。但是当第 3 位数是 9 时表示 10^{-1},如"243"表示容量为 24000pF,而"339"表示容量为 33×10^{-1}pF(3.3pF)。

5. 电容器的检测

(1) 电容器容量和漏电情况的检测　在没有特殊仪器仪表的条件下,电容器的容量、好坏和质量高低可用万用表欧姆档进行检测,并加以判断。

利用数字式万用表可直接测量电容器的容量。

利用指针式万用表测量电容器的容量,一般只能估测,具体方法如下:

将万用表置于欧姆档并调零,将待测电容器短路放电。将万用表表笔接电容器两极,表针应向阻值小的方向摆动,然后慢慢回摆至 ∞ 附近。接着交换表笔再试一次,看表针的摆动情况,摆幅越大,表明电容器的电容量越大。若表笔一直碰触电容器引线,表针应指在 ∞ 附近,否则,表明该电容器有漏电现象,其电阻值越小,说明漏电量越大,则电容器质量越

差；如在测量时表针根本不动，表明此电容器已失效或断路。

对于容量太小的电容器，用万用表来测量往往看不出表针摆动。

（2）电解电容器极性的判别　对于不知道极性的电解电容器可用万用表的 $R\times100$ 或 $R\times1k$ 欧姆档测量其极性。电解电容器极性的判别如图 1-33 所示，测量时，先假定某极为正极，让其与万用表的黑表笔相接，另一电极与红表笔相接，记下表针停止的刻度，然后将电容器放电，两表笔对调，重新测量。两次测量中，阻值大的那次，黑表笔接的就是电解电容器的正极。

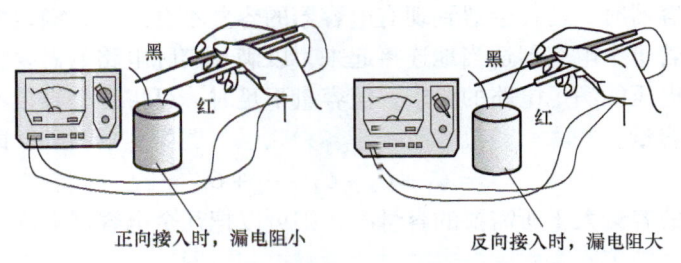

图 1-33　电解电容器极性的判别

用指针式万用表需注意：

1）为提高测量精度，可把电容器的电容量分为三段，分别用三个不同的欧姆档位测量：小于 $10\mu F$ 的可用 $R\times10k$ 档测量，大于 $100\mu F$ 的可用 $R\times100$ 档测量，$10\sim100\mu F$ 的可用 $R\times1k$ 档测量。

2）在测量前应将电容器放电。小容量低压电容器可直接短路放电，大容量电容器尤其是高压电容器充足电后，不能短路放电，以免把电容器引脚周围的铝箔烧掉，应使用功率电阻放电。

二、电容器的充放电特性

电容器在电工电子技术中之所以得到广泛的应用，是因为它具有储存能量的特性，而这一特性又是通过充放电过程体现出来的。

1. 电容器的充电

电容器的充放电电路如图 1-34 所示，当开关 S 拨到 A 端，在电场力作用下电荷向电容器移动，电容器处于充电状态。开关接通瞬间，电容器上未积累电荷，$u_C=0$，充电电流 i 最大。随着充电的继续，u_C 逐渐增大，输入电压与电容器电压 u_C 之差逐渐减小，因而充电电流 i 随电容器电压 u_C 增大而逐渐减小。当 $u_C=U$ 时，$i=0$，充电结束。

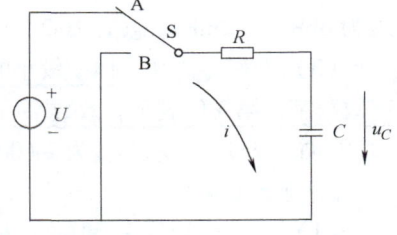

图 1-34　电容器的充放电电路

2. 电容器的放电

充电结束后，开关 S 拨到 B 端，输入电压为零，电容器通过电阻放电，方向与充电相反。随着放电的继续，两极板电荷不断减少，u_C 逐渐下降，i 逐渐减小，当电荷全部释放完毕后，$u_C=0$，放电结束。

可见，电容器的充电、放电过程，就是储存和释放电荷的过程。当电容器接通交流电源时，由于交流电的大小和方向不断交替变化，致使电容器反复进行充放电，这样，电路中就会出现连续不断的交流电流，这说明对交流电来讲，电容器始终是导通的；而对于直流电路而言，只有在电容器充电的短暂时间内，电路才能导通，一旦充电结束，电路将进入稳定状态，此时电路处于开路状态，所以电容器具有隔直流、通交流的作用。

综合以上分析可以得出以下几个结论：

1) 电容器的充放电需要具备一定条件。当电容器电路的输入电压高于其两端电压时，电容器充电，直到电容器电压等于外部输入电压时充电结束。当电容器两端电压高于电路的输入电压时，电容器放电，直到电容器电压等于外部输入电压时放电结束。

2) 电路的状态改变时电容器的电压不能突变，只能渐进变化。

3) 电容器是一个储能元件，充放电过程实际上就是电能的储存和释放过程，电容器本身并不消耗电能。

4) 电容器的充放电快慢与其电容量 C 和电阻 R 的大小有关。两者的乘积称为时间常数，用字母 τ 表示（单位为 s），即 $\tau = RC$。τ 越大，充放电越慢，即暂态过程越长；反之，τ 越小，暂态过程越短。实际应用中，当暂态过程经过 5τ 后，可以认为暂态过程基本结束，电容器进入稳定状态。

三、电容器在汽车上的应用

1. 汽车电容式闪光器

电容器作为储存和容纳电荷的元件，在汽车上有着广泛的应用，如汽车转向灯闪光器使用的电容器，是利用电容器的充放电规律达到使转向灯闪烁的目的。电容式闪光器由于其闪光频率稳定、工作时伴有响声、监控作用明显，故在汽车上得到了广泛使用。

汽车电容式闪光器电路如图 1-35 所示。汽车转向时，接通转向灯开关，电流经蓄电池"+"极、电源开关、串联线圈、触点、接线柱 L、转向灯开关、转向灯及指示灯、搭铁、蓄电池"-"极，构成回路。当流经串联线圈的电流产生的吸力大于弹簧片的作用力时，触点被迅速打开，因此转向灯不亮；同时，电流经蓄电池"+"、电源开关、串联线圈、并联线圈、电解电容器、接线柱 L、转向灯开关、转向灯及指示灯、搭铁、蓄电池"-"极，构成充电回路。此时，串联线圈和并联线圈电流方向一致，电磁力叠加，使触点继续保持断开状态。线圈电阻较大，充电电流很小，不足以使转向灯亮。随着电容器两端电压升高，充电电流逐渐减小，电磁吸力减小，触点在弹簧片作用下闭合。

触点闭合后，转向灯处于亮的状态。同时，电容器经并联线圈、触点放电。此时，串联线圈和并联线圈电流方向相反，电磁力互相抵消，使触点继续保持闭合。

随着放电的进行，电容器两端的电压逐渐下降，放电电流逐渐减小，当电流小到一定程度，并联线圈和串联线圈产生的电磁力不能相互抵消时，在串联线圈电磁力作用下，触点打开，转向灯熄灭，电容器进入下一轮充电过程。并联线圈不断改变其电流方向，如此反复，转向灯就以一定的频率闪烁，达到控制的目的。

2. 汽车点火系统中的电容器

汽车传统点火系统主要由电源、点火线圈、分电器、点火开关、火花塞、附加电阻和高低压导线组成。其中分电器中的电容器起着重要作用。电容器的充放电能加速点火线圈一次电流消失，提高点火电压的作用。同时，还可以减小分电器触点的火花，起保护触点不易被烧蚀的作用。

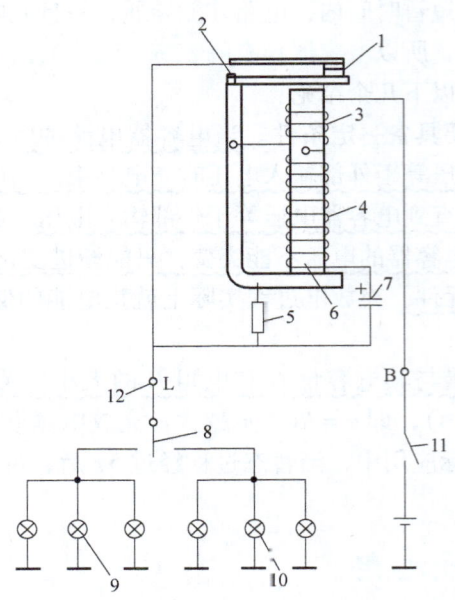

图 1-35　汽车电容式闪光器电路

1—触点　2—弹簧片　3—串联线圈　4—并联线圈　5—灭弧电阻
6—铁心　7—电解电容器　8—转向灯开关　9—左转向灯及指示灯　10—右转向灯及指示灯
11—电源开关　12—接线柱 L

汽车点火电路原理图如图 1-36 所示，在点火过程中，与分电器触点并联的电容器具有重要作用。在点火过程中，凸轮转动，触点被接通或断开，使通过一次绕组的电流急剧变化，绕组将产生一个很高的自感电动势，其方向与蓄电池的电动势方向相同。两个电压叠加作用到触点上，在触点间产生火花，触点将被烧坏。为了保护触点，通常在触点两端并联一个电容器，当触点打开时，一次绕组产生的自感电动势向电容器迅速放电，触

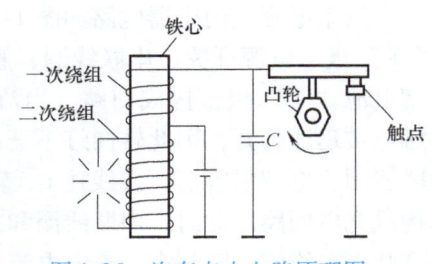

图 1-36　汽车点火电路原理图

点间不再形成强烈的火花，延长了触点的使用寿命；同时，触点打开后，一次绕组和电容器形成振荡回路，充了电的电容器通过一次绕组进行振荡放电。可见电容器能用来吸收存储在线圈中的磁场能，起到保护触点的作用。

　项目设备与器材

指针式万用表、各种不同标志的电容器若干、旧收音机或旧电器产品 1 台。

　项目内容和步骤

1. 电容器的识别

观察不同标志的电容器，对电容器进行分类并根据不同容量标志方法读出标称容量及额定电压值，把数值填入表 1-13。

表1-13 电容器参数记录表

电容器	标称容量	额定电压值	是否漏电	电容器	正向漏电阻	反向漏电阻	标称容量	额定电压值
普通电容器				电解电容器				

2. 电容器的检测

首先利用指针式万用表进行电解电容器的极性判断及正反向漏电阻的测量,并将测量结果填写在表1-13中;再利用指针式万用表进行普通电容器性能检测,判断其质量好坏,并将测量结果填写在表1-13中。

项目评价标准

电容器的检测项目评价标准见表1-14。

表1-14 电容器的检测项目评价标准

序号	考核内容	评分标准	分数分配	得分
1	电容器的识别	1. 不会分类,扣10分 2. 标称容量及额定电压的读取不正确,每个扣2~5分	40分	
2	电容器的检测	1. 不会正确使用万用表,扣10分 2. 测量方法不正确,扣10分 3. 极性判断及漏电阻的测量不正确,每个扣5分	50分	
3	安全文明生产	1. 违反安全操作规定,扣3~5分 2. 工具摆放不整齐,卫生不好,扣3~5分	10分	

项目实训报告

1)设计封面,包括项目名称、班级、姓名、指导老师、时间等。

2)实训报告内容包括项目器材、内容、步骤、填写好的各记录表格,写出测量心得体会和测量过程中的注意事项。

小　　结

1. 电路一般由电源、负载、中间环节等部分组成。电路能实现能量的转换、传输和分配,还能实现电信号的处理和传递。在工程中,常用理想电路元件及其组合代替实际电路元件,即用电路模型进行电路的分析计算。

2. 电压和电流是电路的基本物理量。电路分析时,引入了参考方向的概念,先假定物理量的参考方向,并以此去分析计算,最后根据计算结果的正负值来确定物理量的实际方向。当物理量的参考方向与实际方向一致时，计算结果为正；当物理量的参考方向与实际方向相反时，计算结果为负。

3. 电路中某点的电位是该点到参考点的电压。电位数值与参考点的选择有关，是相对值。而电路中任意两点间的电压就是这两点的电位差，其数值与参考点无关，是固定值。

4. 电路通常有通路、断路、短路三种状态。通路状态下，电源输出电压、电流和功率都由负载决定。断路状态下电路中的电流为零。短路状态下，电路中的电流很大，易损坏电路设备，因此应尽量避免。

5. 基尔霍夫定律包括基尔霍夫电流定律和基尔霍夫电压定律。电流定律反映了节点上各电流之间的关系，电压定律反映回路中各段电压之间的关系。支路电流法是求解复杂电路最基本的方法，它是以支路电流为未知量，直接应用基尔霍夫两条定律列出电路方程，从而解出支路电流的一种方法。

6. 电容器是一个储能元件，而这一特性又是通过充放电过程体现出来的，它具有隔直通交的作用。电容器充放电的快慢与时间常数 $\tau = RC$ 大小有关。

习　　题

一、填空题

1. 某电阻的额定数据为"1kΩ、2.5W"，正常使用时允许流过的最大电流为_____A。

2. 一个完整的电路至少由_____、_____和中间环节（包括开关和导线等）组成。负载是将_____能转变为_____能的用电设备。

3. 电路有____、_____和_____三种状态。当电路中电流 $I = \dfrac{U_S}{R_0}$、端电压 $U = 0$ 时，此种状态称为_____，这种情况下电源产生的功率全部消耗在_____上。

4. 电路中_____形成电流，电流的大小是指_____内通过导体横截面的_____，公式为 $I = $ _____。

5. 电压的方向规定由_____端指向_____端，即电位降低的方向。电压是_____值，与参考点的选择_____；电位是_____值，与参考点的选择_____。

6. 两电阻 R_1 和 R_2，已知 $R_1 : R_2 = 1 : 4$，若它们串联在电路中，则电阻两端的电压比 $U_1 : U_2 = $ _____，流过电阻的电流比 $I_1 : I_2 = $ _____，消耗的功率比 $P_1 : P_2 = $ _____。

7. 基尔霍夫电流定律指出：在任一时刻，通过电路任一节点的_____为零，其数学表达式为_____；基尔霍夫电压定律指出：对电路中的任意闭合回路，_____的代数和等于_____的代数和，其数学表达式为_____。

二、判断题

1. 蓄电池在电路中必是电源，总是把化学能转换成电能。　　　　　　　　　　　（　　）

2. 电阻串联时，阻值大的电阻分得的电压大，阻值小的电阻分得的电压小，但通过两者的电流是一样的。（　　）

3. 电路中两点间的电压具有相对性，当参考点变化时，两点间的电压将随之发生变化。（　　）

4. 电流的参考方向，可能是电流的实际方向，也可能与实际方向相反。（　　）

5. 利用基尔霍夫电压定律列回路电压方程时，所设的回路绕行方向不同会影响计算结果。（　　）

6. 电容器并联使用时将使总电容量增大。（　　）

三、选择题

1. 下列设备中，其中一定是电源的是（　　）。
   A. 发电机 B. 电冰箱
   C. 蓄电池 D. 电灯

2. 在生产和生活中，应用电流热效应的是（　　）。
   A. 发光二极管 B. 继电器线圈
   C. 熔断器 D. 照明电路

3. 电路中两点间电压高，则（　　）。
   A. 这两点间电位都高 B. 这两点的电位差大
   C. 这两点的电位一定大于零 D. 不一定

4. 从商店买来的小灯泡接在电源上，发现灯丝只是被烧红，不能正常发光，原因是（　　）。
   A. 电路不通 B. 小灯泡是坏的
   C. 小灯泡的额定功率本来就小 D. 电源电压低于小灯泡的额定电压

5. 1 度电可供 "220V，40W" 的灯泡正常发光的时间是（　　）。
   A. 20h B. 40h
   C. 45h D. 25h

6. 汽车倒车灯及警报器电路中，利用的是电容的哪种特性？（　　）。
   A. 充电 B. 放电
   C. 充电和放电 D. 以上都不是

7. 在汽车供电系统中作为汽车电源的是（　　）。
   A. 蓄电池 B. 发电机
   C. 蓄电池和发电机两种 D. 干电池

四、计算题

1. 已知电源电动势 $E=220\text{V}$，电源内阻 $R_0=10\Omega$，负载电阻 $R=100\Omega$，求：（1）电路电流；（2）电源端电压；（3）电源内阻上的电压。

2. 一只 "10W，12V" 灯泡，若接在 36V 的电源上，要串联多大的电阻才能使灯泡正常工作？

3. 有一个额定电压为 220V、额定功率为 100W 的白炽灯,求其额定电流与灯丝电阻。

4. 有一盏"220V,60W"的电灯接到 220V 交流电路中。(1) 试求电灯的电阻;(2) 当接到 220V 电压下工作时的电流;(3) 如果每晚用 3h,问一个月(按 30 天计算)用多少度电?

5. 电路如图 1-37 所示,试求电流 I。

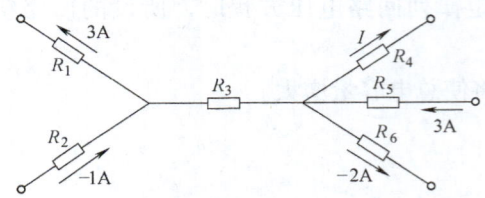

图 1-37　计算题 5 图

6. 已知电路如图 1-38 所示,其中 $U_{S1}=15V$,$U_{S2}=65V$,$R_1=5\Omega$,$R_2=R_3=10\Omega$。试用支路电流法求 R_1、R_2 和 R_3 三个电阻上的电压。

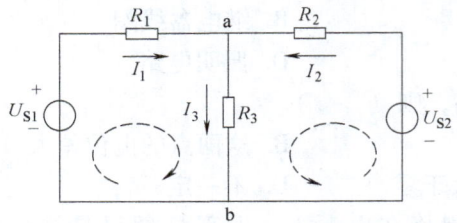

图 1-38　计算题 6 图

模块 2 交流电路

 知识目标

要知道：
1）正弦交流电的概念、三要素。
2）电阻、电容和电感在交流电路中的特性。
3）三相电源与负载的连接方法。
4）人体触电的危害、触电的形式及防护。

要熟悉：
1）单相交流电路的特点。
2）三相交流电路中相电压与线电压、相电流与线电流的关系。
3）人体触电的急救方法和电气消防知识。

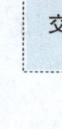

交流电路的认识

 能力目标

会使用：
1）示波器观测交流电的波形。
2）万用表测量交流电压、电流。

会计算：
1）单一元件交流电路中电压、电流相位关系及功率计算。
2）相电压与线电压、相电流与线电流。

 **素质目标**

1）通过学习正弦交流电路，培养学生科学严谨的精神，使学生遵守规范、恪守法度。
2）通过学习三相电源与三相负载的连接，强化学生的诚信教育与创新意识培养，培养学生严谨细致的工作精神和良好的法治观念。

项目 2.1 正弦交流电路

项目相关知识

一、交流电

大小和方向都随时间做周期性变化的电压或电流，统称为交流电，其文字符号用字母

"AC"表示，图形符号用"~"表示。如果电压和电流的大小和方向是按照正弦规律变化的，则称为正弦交流电。正弦交流电易于产生，便于输送和使用，在生产和生活的各个领域中应用最为广泛。交流电波形图如图2-1所示。如没有特殊说明，本书所讲的交流电都是指正弦交流电。

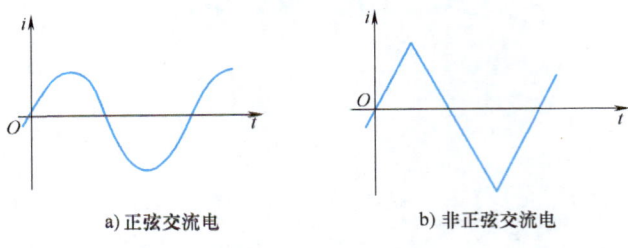

图2-1 交流电波形图

为了区别交流电和直流电，直流电的物理量用大写英文字母表示，如 E、I、U 等。交流电的物理量用小写英文字母表示，如 e、i、u 等。交流电的参考方向如图2-2所示，图中标出的电源电压、电流和电压的方向为参考方向。它们的实际方向是在不断反复变化的，与参考方向相同的半个周期为正值，与参考方向相反的半个周期为负值。

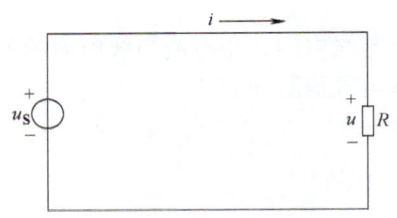

图2-2 交流电的参考方向

二、表征正弦交流电的物理量

正弦交流电随时间按正弦规律变化，可用正弦函数表示。其任一瞬间的值称为瞬时值，通常以小写字母 e、i、u 分别表示电动势、电流和电压的瞬时值。图2-3所示的正弦交流电可用正弦函数表示为

$$i = I_m \sin(\omega t + \psi_0)$$

此式称为电流 i 的瞬时值表达式。可见，电流 i 与时间 t 的关系由最大值 I_m、角频率 ω 和初相位 ψ_0 决定。同时 I_m、ω、ψ_0 也是正弦交流电之间进行比较和区别的依据。因此，最大值、角频率、初相位被称为正弦交流电的三要素。

1. 周期、频率、角频率

正弦交流电重复变化一次所需要的时间称为周期，用字母 T 表示，单位是秒（s）。

正弦交流电每秒变化的次数称为频率，用字母 f 表示，单位是赫兹（Hz）。

显然，周期和频率的关系满足如下关系：

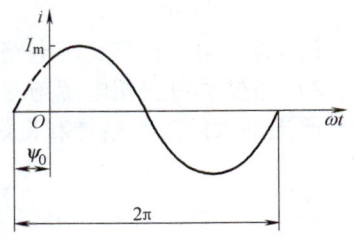

图2-3 正弦交流电波形图

$$f = \frac{1}{T}$$

我国和世界上大多数国家工业用电的标准频率为 50Hz，而少数国家（美国、日本等）的工频为 60Hz。

正弦交流电的变化快慢除用周期和频率表示外，还可以用角频率 ω 表示。角频率是交流电每秒变化的弧度数，单位是弧度/秒（rad/s）。

由于正弦交流电在一个周期 T 内，其电角度变化了 2π 弧度，所以有

$$\omega = \frac{2\pi}{T} = 2\pi f$$

2. 最大值与有效值

（1）**最大值**　最大值是指交流瞬时值中的最大值，也称幅值、峰值。最大值通常用大写字母加下标"m"表示，如 E_m、U_m、I_m 等。

（2）**有效值**　交流电的有效值是根据其热效应来确定的，如果在数值相等的两个电阻内，分别通过交流电和直流电，在相等的时间内，它们各自产生的热量相等，则把直流电流的数值称为该交流电流的有效值，即

$$\int_0^T i^2 R \, dt = I^2 R T$$

电动势、电压、电流的有效值分别用大写字母 E、U、I 表示。

根据数学分析，正弦交流电的有效值与最大值的关系为

$$I = \frac{I_m}{\sqrt{2}}$$

由此可见，正弦交流电的有效值等于最大值的 $\frac{1}{\sqrt{2}}$ 或 0.707 倍。

平常所说的交流电的大小、交流仪表的读数以及电气设备铭牌上标注的额定值，都是指有效值。

3. 相位与初相位

（1）**相位**　由正弦交流电的瞬时表达式可知，交流电在任意时刻的瞬时值取决于电角度 $\omega t + \psi_0$，这个电角度称为交流电的相位。

（2）**初相位**　交流电在 $t = 0$ 时所具有的相位称为初相位，用 ψ_0 表示。初相位决定了 $t = 0$ 时瞬时值的大小。

初相位为正时，交流电在 $t = 0$ 时的瞬时值为正；初相位为负时，交流电在 $t = 0$ 时的瞬时值为负。

相位和初相位的单位都是弧度（rad）。

（3）**相位差**　相位差是指同频率正弦交流电的相位之差，也就是它们的初相位之差。

例如，在一个电路中，某元件电压 u 和流过的电流 i 频率相同，设

$$u = U_m \sin(\omega t + \psi_u)$$
$$i = I_m \sin(\omega t + \psi_i)$$

则它们的相位差（用 φ 表示）为

$$\varphi = (\omega t + \psi_u) - (\omega t + \psi_i)$$

注意：不同频率的两个正弦交流电不能进行相位比较。

例 2-1 图 2-4 所示为某电路电压 u 和电流 i 的波形图，写出 u 和 i 的表达式并进行相位比较。

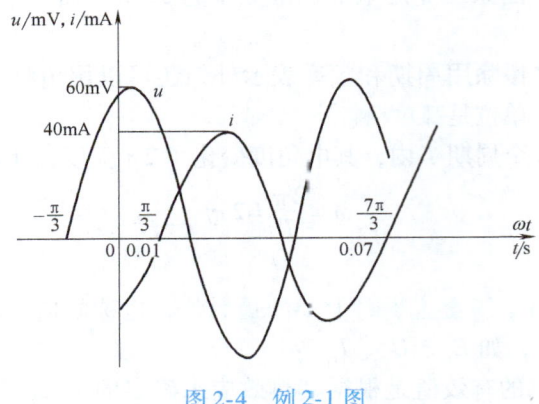

图 2-4　例 2-1 图

解：由图 2-4 可知，周期 $T = 0.06\text{s}$，角频率 $\omega = \dfrac{2\pi}{T} \approx 105\text{rad/s}$，因此有：

电压为

$$u = U_m \sin(\omega t + \psi_u) = 60\sin\left(105t + \dfrac{\pi}{3}\right)\text{mV}$$

电流为

$$i = I_m \sin(\omega t + \psi_i) = 40\sin\left(105t - \dfrac{\pi}{3}\right)\text{mA}$$

显然，电压 u 超前电流 i，其角度为

$$\dfrac{\pi}{3} - \left(-\dfrac{\pi}{3}\right) = \dfrac{2}{3}\pi$$

三、正弦量的相量表示法

由三要素的讨论可知，正弦量具有最大值、角频率和初相位三个基本元素，可用不同的方法表示出来。前面介绍了瞬时值表达式和波形图，这里将介绍第三种方法——相量表示法。

相量是一个旋转矢量，有长度、方向和转动速度。为了完整表达一个正弦量，令相量长度等于正弦量的最大值（也可以表示有效值），相量初始位置与横轴正向的夹角等于初相位，$\psi_0 > 0$ 画在横轴上方，$\psi_0 < 0$ 画在横轴下方，同时令相量的旋转速度等于正弦量的角频率，图 2-5 为正弦交流电的相量表示。

在交流电路的分析计算中，主要讨论同频率正弦交流电的有效值和它们的相位关系。所以在画正弦交流电相量图时一般采用有效值相量图，相量的长短表示有效值的大小，相量旋转的角速度不再标出，有效值相量常用 $\dot{E}$、$\dot{U}$、$\dot{I}$ 表示。相量图不仅能表示各相量的大小和初相位，而且还能表示各相量的相位关系，即超前、滞后关系。如图 2-6 所示，$\dot{E}_1$ 超前 $\dot{E}_2$ 的角度为 φ 角。

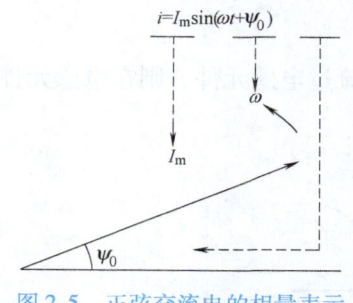

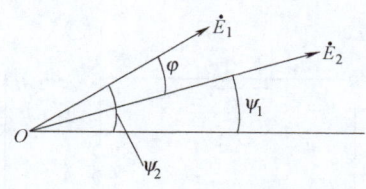

图 2-5　正弦交流电的相量表示　　　　　　图 2-6　有效值相量图

另外，相量图只能表示<u>同频率</u>正弦量的关系，不能表示不同频率正弦量的关系。

四、单一元件交流电路

1. 纯电阻交流电路

只考虑电阻作用的理想元件称为电阻元件，<u>纯电阻元件的交流电路简称为纯电阻电路</u>，如图 2-7 所示，典型的电阻元件有白炽灯、汽车点烟器、汽车融雪装置等。

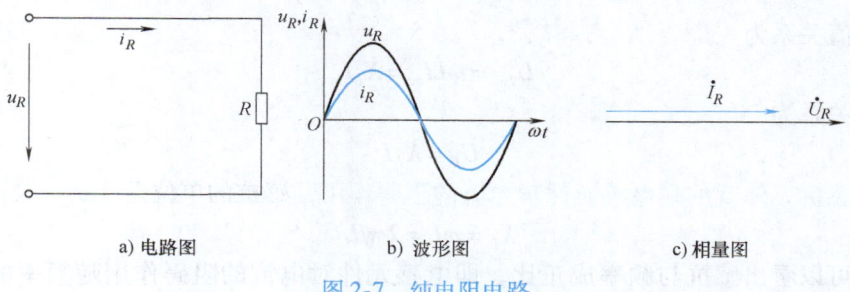

a) 电路图　　　　　b) 波形图　　　　　c) 相量图

图 2-7　纯电阻电路

图 2-7 所示纯电阻电路中，设电阻两端电压 $u_R = U_m \sin\omega t$，根据欧姆定律，流经电阻的电流为

$$i_R = \frac{u_R}{R} = \frac{U_{Rm}}{R}\sin\omega t = I_{Rm}\sin\omega t$$

由此可得如下结论：

1）在纯电阻电路中，电压和电流频率相同，相位相等。
2）电压和电流的有效值（幅值）之间的关系符合欧姆定律关系。
3）电阻消耗的有功功率等于电压和电流的有效值的乘积，即

$$P = U_R I_R = I_R^2 R = \frac{U_R^2}{R}$$

2. 纯电感交流电路

电感元件是电感线圈的理想化模型，直流电阻和分布电容可以忽略的空心线圈等属于电感元件。<u>由纯电感元件作负载的电路称为纯电感交流电路，简称纯电感电路。</u>

当给一个电感元件通以变化的电流时，在电感元件两端会产生感应电压，称为自感电压，这种现象称为自感现象。自感电压用 u_L 表示，u_L 的大小与电流的变化率有关，通常为

$$u_L = L\frac{di}{dt}$$

图 2-8 所示纯电感电路中，若交流电流 $i_L = I_m \sin\omega t$ 流过电感元件，则在电感元件两端产生电压 u_L。

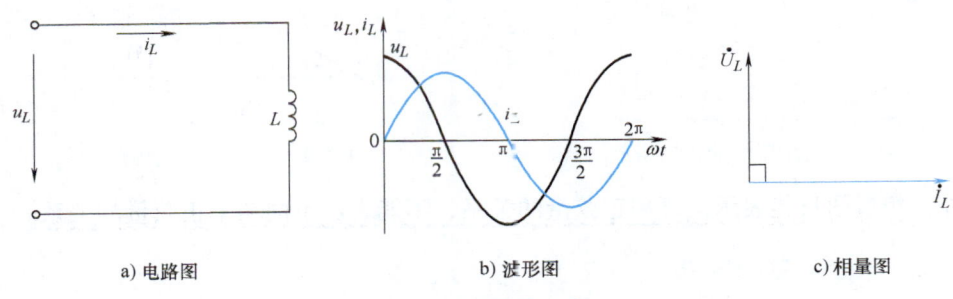

a) 电路图　　　　　b) 波形图　　　　　c) 相量图

图 2-8　纯电感电路

由上式得

$$u_L = L\frac{di}{dt} = \omega L I_m \sin\left(\omega t + \frac{\pi}{2}\right) = U_{Lm}\sin\left(\omega t + \frac{\pi}{2}\right)$$

则最大值关系为

$$U_{Lm} = \omega L I_m = X_L I_m$$

有效值关系为

$$U_L = X_L I$$

式中，X_L 为感抗，体现的是电感元件对电流的阻碍作用，感抗的单位是欧姆（Ω）。

$$X_L = \omega L = 2\pi f L$$

从式中可以看出感抗与频率成正比，即电感元件对电流的阻碍作用随频率的增加而增加。直流电路中 $X_L = 0$，电感相当于短路，所以电感元件在电路中具有"通直阻交"的作用。

从图 2-8 中可以看出，电压在整个变化过程中始终超前于电流 $\frac{\pi}{2}$。

纯电感电路在电压、电流关系及功率方面也有三个特点：

1) 电感元件电压和电流频率相同，相位上电压超前电流 $\frac{\pi}{2}$。

2) 电压有效值（幅值）、电流有效值（幅值）与感抗之间的关系符合欧姆定律关系。

3) 纯电感元件在交流电路中不消耗功率，有功功率 $P = 0$，无功功率为

$$Q_L = U_L I = I^2 X_L = \frac{U_L^2}{X_L}$$

应当指出，纯电感元件在交流电路中虽然不消耗功率，但与电源之间的能量交换用无功功率表示，无功功率是反映能量交换规模的物理量，单位是乏（var）。

3. 纯电容交流电路

电容元件是电容器的理想化模型，忽略损耗的电容器可以看作电容元件。由电容元件作负载的电路称为纯电容交流电路，简称纯电容电路。

图 2-9 所示纯电容电路中，当在电容两端外加电压时，回路中会有电流，电流与电容两

端电压变化率有关，通常写成

$$i_C = C\frac{\mathrm{d}u_C}{\mathrm{d}t}$$

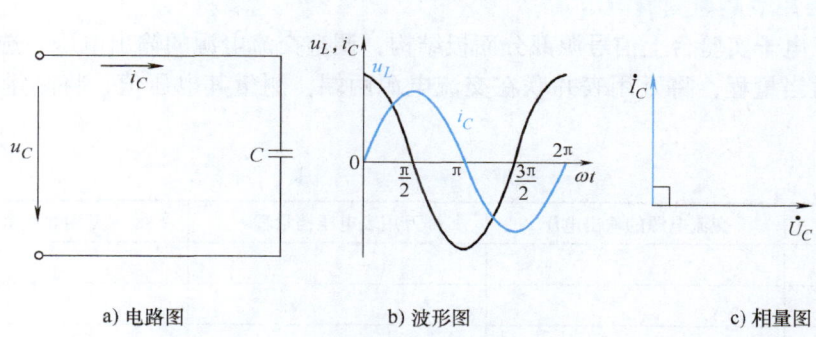

a) 电路图　　　　　　b) 波形图　　　　　　c) 相量图

图 2-9　纯电容电路

在电容两端加正弦交流电压 $u_C = U_{Cm}\sin\omega t$，回路中的电流为

$$i_C = C\frac{\mathrm{d}u_C}{\mathrm{d}t} = \omega C U_{Cm}\sin\left(\omega t + \frac{\pi}{2}\right) = I_{Cm}\sin\left(\omega t + \frac{\pi}{2}\right)$$

则最大值关系为

$$U_{Cm} = X_C I_{Cm}$$

有效值关系为

$$U_C = X_C I_C$$

式中，X_C 为容抗，体现的是电容对电流的阻碍作用，容抗的单位是欧姆（Ω）。

$$X_C = \frac{1}{\omega C} = \frac{1}{2\pi f C}$$

从式中可以看出容抗的大小与频率成反比，也就是说电容对电流的阻碍作用随频率的增加而减小。在直流电路中 $X_C = \infty$，电容相当于开路，因此说电容可以通高频阻低频。

纯电容电路在电压、电流关系及功率方面的特点：

1）电压和电流频率相同，相位上电流超前电压 $\frac{\pi}{2}$。

2）电压有效值（幅值）、电流有效值（幅值）与容抗之间的关系符合欧姆定律关系。

3）纯电容元件在交流电路中不消耗功率，有功功率 $P = 0$，无功功率为

$$Q_C = U_C I = I^2 X_C = \frac{U_C^2}{X_C}$$

$P = 0$ 表明电容元件不消耗电能，但无功功率表明，它与交流电源之间存在能量的交换，因此电容元件属于储能元件。

项目设备与器材

电工电子实验台、万用表、示波器。

项目内容和步骤

1. 使用万用表测量交流电压

观察电工电子实验台上信号源部分面板结构，调整交流电源的输出电压。选择万用表交流电压档的适当量程，将万用表并联在交流电源两端，测量其电压值，将测量结果记录在表2-1中。

表2-1 测量电压记录表

序 号	交流电源的输出电压	万用表电压档量程	万用表测量电压值
1			
2			
3			
4			

2. 使用示波器观测交流信号

了解示波器的使用方法，调整交流电源的输出电压。正确连接交流电源与示波器，调整示波器相关旋钮，使之显示清晰、稳定波形。使用示波器准确读取交流电压的峰-峰值和周期，并将测量结果填入表2-2中。

改变交流电源的输出电压，重复进行测量，并将测量结果填入记录表中。

表2-2 示波器观测交流信号记录表

序 号	峰-峰值	有 效 值	周 期	频 率
1				
2				
3				
4				

项目评价标准

正弦交流电路的测量项目评价标准见表2-3。

表2-3 正弦交流电路的测量项目评价标准

序号	考核内容	评分标准	分数分配	得分
1	万用表测量交流电压	1. 万用表的使用不正确，扣10分 2. 测量结果不正确，酌情扣2~10分	40分	
2	示波器观测交流信号	1. 不会正确使用示波器，扣10分 2. 交流信号波形显示不稳定、清晰，扣5分 3. 数据不能正确读取，每个扣5分	50分	
3	安全文明生产	1. 违反安全操作规定，扣3~5分 2. 工具摆放不整齐，卫生不好，扣3~5分	10分	

 **项目实训报告**

1）设计封面，包括项目名称、班级、姓名、指导老师、时间等。

2）实训报告内容包括项目目标、器材、步骤、填写好的各记录表格。分别写出交流电压有效值、峰-峰值之间的关系，总结用万用表测量交流电压、用示波器观测交流信号的步骤和注意事项。

项目 2.2 三相交流电路

 **项目相关知识**

三相交流电路简称三相电路，由三相电源、三相输电线和三相负载组成，虽然在汽车上使用不多，但在汽车检测维修企业中应用很普遍。

现在电力系统中，几乎全部采用对称三相交流电供电，所谓对称三相交流电供电，是指由三个幅值相等、频率相同、相位互差 120°的正弦交流电压，按照一定的方式连接起来作为三相交流电源向负载供电。

一、三相交流电源

三相交流电的应用非常广泛，在实际应用中，电能的输送、分配基本上采用的都是三相交流电。三相交流电是由三相交流发电机产生，三相交流发电机如图 2-10 所示，它由定子、转子整流电路和壳体构成，在定子上嵌入三个空间位置互差 120°且完全相同的绕组，每个绕组为一相，合称三相绕组。三相绕组的首端用 U_1、V_1、W_1 表示，末端用 U_2、V_2、W_2 表示。

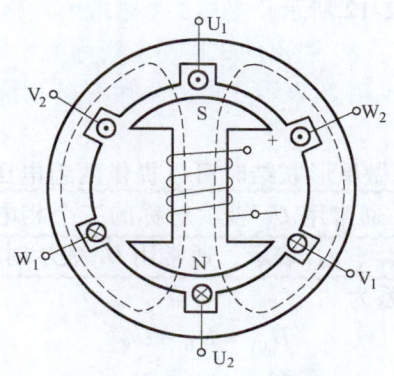

图 2-10　三相交流发电机

在发电机中，定子的作用是产生感应电动势，转子的作用是产生磁场。当转子以匀角速度 ω 旋转时，定子的三相绕组中就产生幅值相等、频率相同、相位互差 120°的三相对称正弦电动势。三相分别用 U 相、V 相、W 相来表示。

$$e_U = E_m \sin\omega t$$

$$e_V = E_m \sin(\omega t - 120°)$$
$$e_W = E_m \sin(\omega t + 120°)$$

现在电力系统中，几乎全部采用对称三相交流电供电，与此对应的波形图和相量图如图 2-11 所示。由波形图可知，<u>三相电动势达到最大值的先后次序是不同的，这种达到最大值的先后次序称为三相电动势的相序</u>。上述三相电动势的相序是 U-V-W-U。<u>在工厂或企业配电站的三相电源裸铜排上，常涂有黄、绿、红三种颜色，分别表示 U、V、W 三相。</u>

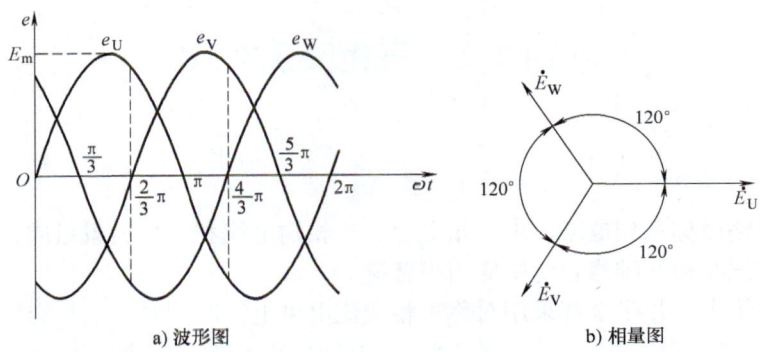

a) 波形图   b) 相量图

图 2-11　对称三相交流电

二、三相电源的连接

三相发电机的三相绕组通常并不单独对外供电，而是按一定方式连接在一起同时对外供电。三相电源的基本连接方式有星形（Y）联结和三角形（△）联结两种。

1. 三相电源的星形（Y）联结

在集中供电方式下，为了提高可靠性，发电机三相绕组通常接成 Y，即<u>将三相绕组的末端 U_2、V_2、W_2 连在一起，构成星形联结。</u>

三相电源的星形联结如图 2-12 所示，<u>连接 3 个末端的点称为中性点或零点，用 N 表示。由 3 个电源绕组的首端 U_1、V_1、W_1 引出的 3 根输电线称为相线，俗称火线；从中性点引出的输电线称为中性线或零线，也用 N 表示。这种采用三条相线和一条中线对外供电的方式称为三相四线制。</u>

由图 2-12 可知，<u>三相电源做星形联结时可以提供两组电压：一组是相线和中性线之间的电压，用 u_U、u_V、u_W 表示，通常用 U_P 表示对称的三个相电压的有效值；另一组是相线和相线之间的电压，用 u_{UV}、u_{VW}、u_{WU} 表示，通常用 U_L 表示对称的三个线电压的有效值。</u>

线电压和相电压之间的关系为

$$\dot{U}_{UV} = \dot{U}_U - \dot{U}_V$$
$$\dot{U}_{VW} = \dot{U}_V - \dot{U}_W$$
$$\dot{U}_{WU} = \dot{U}_W - \dot{U}_U$$

由此做出三相四线制电源电压相量图，如图 2-13 所示，线电压和相电压之间的数量关系为

$$U_L = \sqrt{3}\, U_P$$

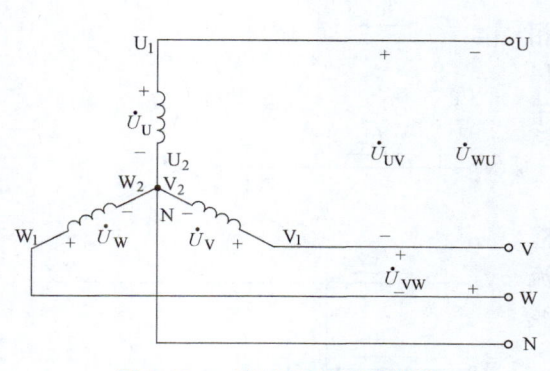
图 2-12 三相电源的星形联结

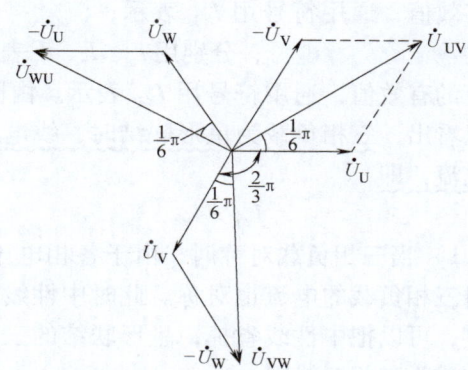
图 2-13 三相四线制电源电压相量图

三个线电压有效值相等，都等于相电压的 $\sqrt{3}$ 倍，在相位上分别超前相应的相电压 $\frac{1}{6}\pi$，各线电压的相位差是 $\frac{2}{3}\pi$。可见，<u>三相四线制供电方式，不但相电压对称，而且线电压也是对称的</u>。

目前，我国民用供电系统中广泛采用三相四线制，这种供电系统可以向负载提供两种电压，即线电压（380V）和相电压（220V），通常表示为"380/220V"。一般照明器具及其他额定电压为 220V 的单相用电设备接于相线与中性线之间，使用相电压；三相动力设备及额定电压为 380V 的单相用电设备接于两根相线之间，使用线电压。

2. 三相电源的三角形（△）联结

如果三相电源的每相绕组首尾端依次相连，称为三相电源的三角形联结。三角形联结由于绕组容易形成环流，使绕组过热，甚至烧毁，因此三相电源一般不采用三角形联结。三相变压器有时采用三角形联结，但要求连线前必须检查三相绕组的对称性及接线顺序。

三、三相负载的连接

由三相电源供电的负载称为三相负载。在三相负载中，如果各相负载的大小和性质相同，称为三相对称负载，如三相电炉、三相电动机等。如果各相负载的大小或性质不同，称为三相不对称负载，如三相照明电路等。

三相负载的连接方式有两种：星形联结和三角形联结。

1. 三相负载的星形联结

将三相负载 Z_U、Z_V、Z_W 的末端连在一起接到三相电源的中性线上，将各相负载的首端分别接在三相电源的三根相线上，这种连接方式称为三相负载有中性线的星形联结。三相负载的星形联结如图 2-14 所示。

三相负载星形联结有中性线时，每相负载两端的电压称为负载的相电压，用 U_{YP} 表示。如果忽略输电线上的电压降，则负载的相电压等于电源的相电压，负载的线电压等于电源的线电压，因此负载线电压与负载相电压的关系为

$$U_L = \sqrt{3}\, U_{YP}$$

在三相交流电路中，流过每根相线的电流称为线电流，分别用 I_U、I_V、I_W 表示各线电流

的有效值,通用符号用 I_{YL} 表示;流过每一相负载的电流称为相电流,分别用 I_u、I_v、I_w 表示各相电流的有效值,通用符号用 I_{YP} 表示。由图 2-14 可以看出,三相负载为星形联结时,线电流等于相电流,即

$$I_{YL} = I_{YP}$$

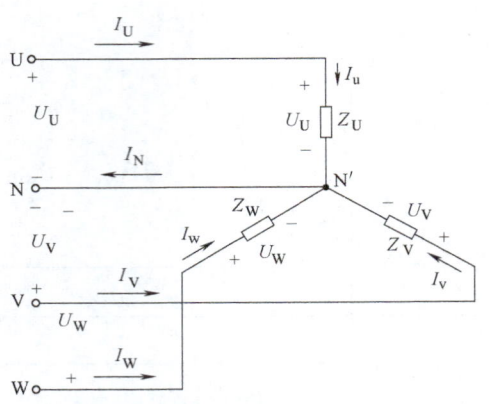

1) 当三相负载对称时,由于各相电压对称,通过三相负载的电流也对称。此时中性线内电流为零,可以把中性线省掉,星形联结的三相四线制则成为三相三线制。

2) 当三相负载不对称时,通过各相负载的电流不再对称。这时,中性线电流不为零,因此绝对不能将其除去。在三相不对称负载的星形联结中,中性线上不准安装熔断器和开关。同时,在连接三相负载时,应尽量保持三相平衡,以减小中性线电流。

图 2-14 三相负载的星形联结

2. 三相负载的三角形联结

三相负载依次接在电源的两根相线之间组成一个三角形,称为负载的三角形联结,如图 2-15 所示。

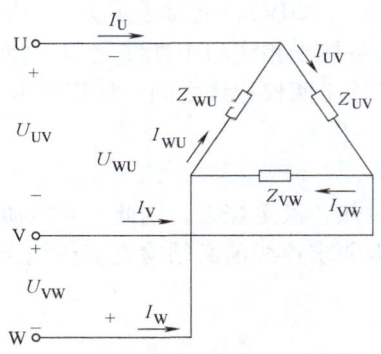

图 2-15 三相负载的三角形联结

由于各相负载均直接接在电源的线电压上,所以,各相负载的相电压等于对应的线电压,即 $U_{\triangle P} = U_L$。

各相负载上的相电流分别用 I_{UV}、I_{VW}、I_{WU} 表示;线电流分别用 I_U、I_V、I_W 表示。理论证明,线电流大小是相电流的 $\sqrt{3}$ 倍,即 $I_{\triangle L} = \sqrt{3} I_{\triangle P}$。

总之,三相负载究竟采用星形联结还是三角形联结,必须根据各相负载的额定电压与电源线电压的关系而定。当每相负载的额定电压为电源线电压的 $\dfrac{1}{\sqrt{3}}$ 时,三相负载应为星形联结。当各相负载的额定电压等于电源线电压时,三相负载必须为三角形联结,从而使每相负载所承受的电压正好等于其额定电压,保证每相负载都能正常工作。

 项目设备与器材

电工电子实验台、万用表、三相实验灯板。

项目内容和步骤

1. 使用万用表测量交流电压

了解电工电子实验台上的电源开关、插座等布置情况,用万用表的交流电压档测量三相四孔插座中的输出电压,记录在表 2-4 中。三相四孔插座各孔位置及符号如图 2-16 所示。

表 2-4 相电压和线电压的测量

测量工具	相电压/V			线电压/V		
	U_U	U_V	U_W	U_{UV}	U_{VW}	U_{WU}
万用表						

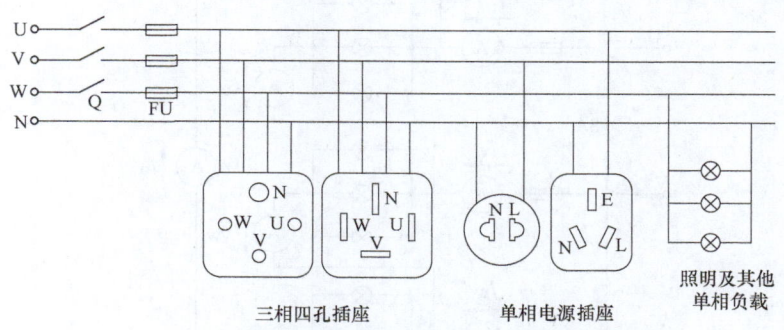

图 2-16 三相四孔插座各孔位置及符号

用万用表的交流电压档测量单相二孔插座和单相三孔插座中的输出电压,单相二孔插座 U_{LN1} = _____ V,单相三孔插座 U_{LN2} = _____ V。

2. 负载为星形联结时电压、电流的测量

按图 2-17 接线,经指导教师检查后,闭合开关 SA_1 和 SA_2,当白炽灯全部点亮且发光正常时,测量线电压、相电压、线电流和相电流。然后断开 SA_2,电路变为无中性线,重复测量上述各电量,将测量数据填入表 2-5 中。

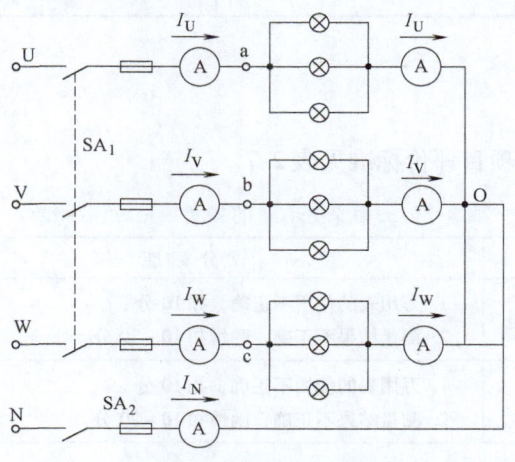

图 2-17 负载的星形联结实验电路

表 2-5　负载为星形联结时电压、电流的测量

接线方式	线电压/V			相电压/V			线电流/A			相电流/A		
	U_U	U_V	U_W	U_u	U_v	U_w	I_U	I_V	I_W	I_u	I_v	I_w
有中性线												
无中性线												

3. 负载为三角形联结时电压、电流的测量

按图 2-18 接线,经指导教师检查后,闭合开关 SA,当灯泡全部点亮且发光正常时,测量各电量,将结果填入表 2-6 中。

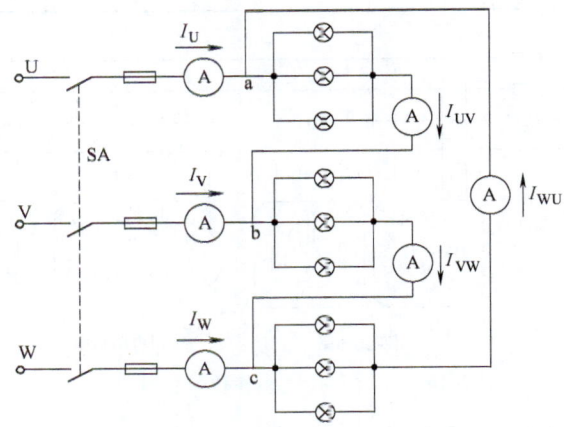

图 2-18　负载的三角形联结实验电路

表 2-6　负载为三角形联结时电压、电流的测量

测量项目	相电压/V			线电压/V			线电流/A			相电流/A		
	U_U	U_V	U_W	U_{UV}	U_{VW}	U_{WU}	I_U	I_V	I_W	I_{UV}	I_{VW}	I_{WU}
测量值												

项目评价标准

三相交流电路的测量项目评价标准见表 2-7。

表 2-7　三相交流电路的测量项目评价标准

序号	考核内容	评分标准	分数分配	得分
1	相电压、线电压的测量	1. 万用表的使用不正确,扣 10 分 2. 测量结果不正确,酌情扣 10~20 分	30 分	
2	负载为星形联结时电压、电流的测量	1. 万用表的使用不正确,扣 10 分 2. 测量结果不正确,酌情扣 10~20 分	30 分	

(续)

序号	考核内容	评分标准	分数分配	得分
3	负载为三角形联结时电压、电流的测量	1. 万用表的使用不正确，扣10分 2. 测量结果不正确，酌情扣10~20分	30分	
4	安全文明生产	1. 违反安全操作规定，扣3~5分 2. 工具摆放不整齐，卫生不好，扣3~5分	10分	

项目实训报告

1）设计封面，包括项目名称、班级、姓名、指导老师、时间等。

2）实训报告内容包括项目器材、内容、步骤、填写好的各记录表格。分别记录三相四孔插座、单相二孔插座、单相三孔插座输出电压，写出相电压和线电压的关系。记录负载为星形、三角形联结时线电压和相电压、线电流和相电流之间的关系。总结用万用表测量交流电压的步骤和注意事项。

项目 2.3 安全用电

项目相关知识

一、安全用电基础知识

电气危害有两个方面：一方面是对系统自身的危害，如短路、过电压、绝缘老化等；另一方面是对用电设备、环境和人员的危害，如触电、电气火灾、电压异常升高造成用电设备损坏等，其中尤以触电和电气火灾危害最为严重。触电可直接导致人员伤残、死亡。另外，静电产生的危害也不能忽视，它是电气火灾的原因之一，对电子设备的危害也很大。

1. 触电危害

当人体某一部位接触到带电的导体或触及绝缘损坏的用电设备时，人体便成为一个通电的导体，电流流过人体会造成伤害，这就是触电。触电对人身造成的伤害可分为电伤和电击。

（1）电伤 电伤是指电流的热效应、化学效应、机械效应对人体外表造成的局部伤害，它常常与电击同时发生。最常见的有电灼伤、电烙印、皮肤金属化三种类型，如强烈电弧引起人体的灼伤、强烈电弧的放射作用引起眼睛失明、人体接触电流引起皮肤表面烙伤等都是电伤。

（2）电击 电击是指电流通过人体而造成的内部器官在生理上的反应和病变，绝大部分触电死亡事故都是由电击造成的。电击是非常危险的，当有一定强度的电流通过人体时，肌肉会剧烈收缩，人体的细胞组织受到严重损害，甚至使心脏停止跳动或窒息而死。通常所说的触电事故基本上是指电击。电击的危险程度与通过人体电流的大小、时间长短、电流通过人体的路径（以流经心脏为最危险）以及电流的频率等因素有关。在触电事故中，电击和电伤常会同时发生。

触电对人体的伤害程度取决于通过人体电流的大小。一般观察：人体通过 1mA 的工频电流时就有不舒服的感觉，通过 50mA 的工频电流时就有生命危险，而达到 100mA 时就足以致人死亡。

当通过人体的工频电流超过 50mA，且通过时间超过 1s 时，可能造成生命危险。一般人体电阻从 800Ω 到几万欧不等，而皮肤潮湿、有损伤会使阻值下降。因此对人体而言，我国规定 36V 以下为安全电压，对潮湿的地面或井下安全电压的规定就更低，如 24V、12V。

应当注意，这里所指的"安全电压"并不是在所有的情况下均绝对安全，只不过在一般情况下触电死亡的可能性和危险性小些罢了。因此，即使使用 36V 以下的电气设备时，在安装和操作使用上也必须符合规程要求，否则还是不安全的。

2. 常见的触电形式

常见的触电形式可分为单相触电、两相触电和跨步电压触电三种形式。

（1）单相触电 单相触电是指人体在地面或其他接地体上，人体的某一部分触及一相带电体的触电事故。单相触电如图 2-19 所示，电流从一根相线经过电气设备、人体再经过大地流到中性点，此时加在人体上的电压为相电压。如果设备的绝缘被破坏或者绝缘很差，就会发生单相触电事故。

图 2-19　单相触电

（2）两相触电 两相触电是指人体两处同时触及两相带电体而发生的触电事故，电流从一根相线经过人体流至另一根相线。两相触电如图 2-20 所示，此时加在人体上的电压是电源的线电压，由于在电流回路中只有人体电阻，所以两相触电非常危险。

（3）跨步电压触电 当输电线断线落地或者外壳接地的电气设备绝缘损坏而漏电时，电流经过接地体或设备流入大地，向四周扩散，并在落地点或接地体周围地面产生强大的电场。当人走过落地点周围时，其两脚间会承受一定的电压，称为跨步电压。跨步电压触电如图 2-21 所示，跨步电压的大小取决于人体位置、接地电流、土壤电阻率等。当跨步电压超过允许值时，就会发生人体触电事故。

图 2-20　两相触电

3. 电气安全防护

（1）电气设备的保护接地 保护接地是把电气设备不带电的金属部分与地做可靠的金属连接。当人体接触带电外壳时，形成人体电阻 R（最坏情况下 1000Ω 左右）和接地电阻 R_d 的并联等效电路。由于 $R_d \ll R$，所以通过人体的电流很小，这样就避免了触电的危险，保护接地如图 2-22 所示。

（2）绝缘防护 绝缘防护就是使用玻璃、云母、橡胶等绝缘材料将带电导体封护或与人体隔离，使电气设备及线路能正常工作，防止人身触电事故的发生。导线的绝缘层、线路中使用的绝缘胶带以及绝缘鞋、绝缘手套等，都是绝缘防护的实例。

应当注意：很多绝缘材料受潮后会丧失绝缘性能或在强电场作用下遭到破坏丧失绝缘性能。

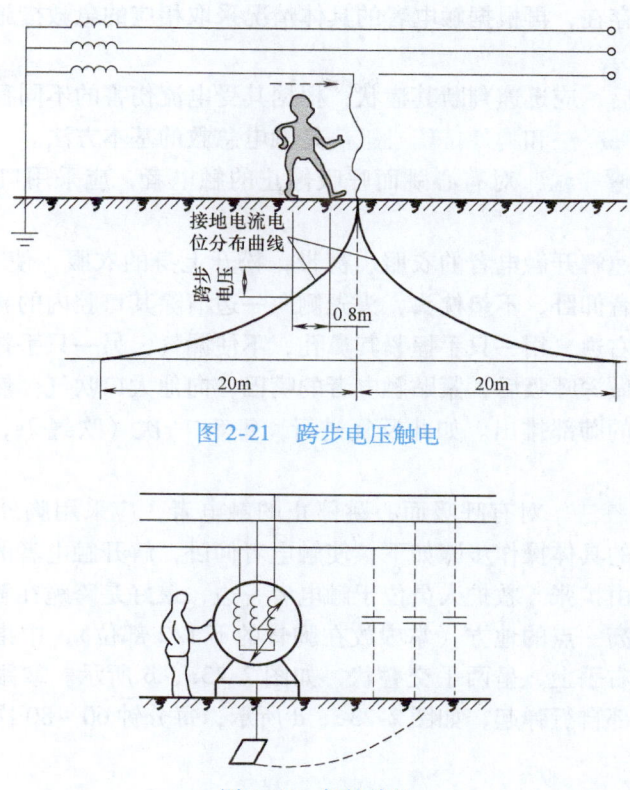

图 2-21 跨步电压触电

图 2-22 保护接地

（3）**屏护** 屏护指采用遮拦、护罩、护盖等把危险的带电体同外界隔绝开来。屏护的特点是屏护装置不直接与带电体接触，对所用材料的电气性能无严格要求，但应有足够的机械强度和良好的耐火性能。电器开关的可动部分一般不能使用绝缘，而需要屏护。高压设备不论是否有绝缘，均应采取屏护。

（4）**间距** 间距是指带电体与地面之间、带电体与其他设备之间、带电体与带电体之间必要的安全距离，其距离的大小取决于电压高低、设备类型、安装方式和周围环境等。在低压工作中，最小检修距离不应小于 0.1m。

二、触电急救与电气消防

1. 触电急救

人在触电后可能由于失去知觉或超过人的摆脱电流而不能自己脱离电源，此时抢救人员不要惊慌，要在保护自己不被触电的情况下使触电者脱离电源。

1）发生触电事故，应立即拉闸断电，尽快使触电者脱离电源。如果碰到破损的电线而触电，附近又找不到开关，可用干燥的木棒、竹竿、手杖等绝缘工具把电线挑开，挑开的电线要放置好，不要使人再触到。在使触电者脱离电源的过程中，抢救人员一定要防止自身触电。

2）当触电者脱离电源后，应将触电者移至通风干燥的地方，通知医护人员前来救护的同时，在现场就地检查和抢救。首先使触电者仰天平卧，松开衣服和裤带，检查瞳孔是否放大，呼吸和心跳是否存在，再根据触电者的具体情况采取相应的急救措施。

2. 触电的急救方法

触电者脱离电源后，应迅速判断其症状，根据其受电流伤害的不同程度，采用不同的急救方法，口对口人工呼吸法和胸外挤压心脏法是触电急救的基本方法。

（1）口对口人工呼吸法　对有心跳而呼吸停止的触电者，应采用口对口人工呼吸法进行急救。

具体做法是：迅速解开触电者的衣服、裤带，松开上身的衣服，使其胸部能自由扩张，不妨碍呼吸，使触电者仰卧，不垫枕头，头先侧句一边清除其口腔内的异物，救护人员位于触电者头部的左边或右边，用一只手捏紧其鼻孔，不使漏气，另一只手托在触电者颈后，将颈部上抬。救护人员做深呼吸后，紧贴触电者的嘴巴，向他大口吹气，然后放松捏着鼻子的手，让气体从触电者的肺部排出。如此反复进行，每5s一次（吹气2s，停3s），直到触电者苏醒为止。

（2）胸外挤压心脏法　对有呼吸而心跳停止的触电者，应采用胸外挤压心脏法进行急救。胸外挤压心脏法的具体操作步骤如下：使触电者仰卧，解开触电者的衣裤，清除口腔内异物，使其胸部能自由扩张。救护人员位于触电者一边，最好是跨跪在触电者的腰部，将右手的掌根放在心窝稍高一点的地方（掌根放在胸骨的下1/2部位），中指指尖对准锁骨间凹陷处边缘，左手压在右手上，呈两手交叠状，如图2-23a、b所示。掌跟用力下压3～4cm，然后突然放松，让胸部自行弹起，如图2-23c、d所示，每分钟60～80次为宜，必须坚持连续进行，不可间断。

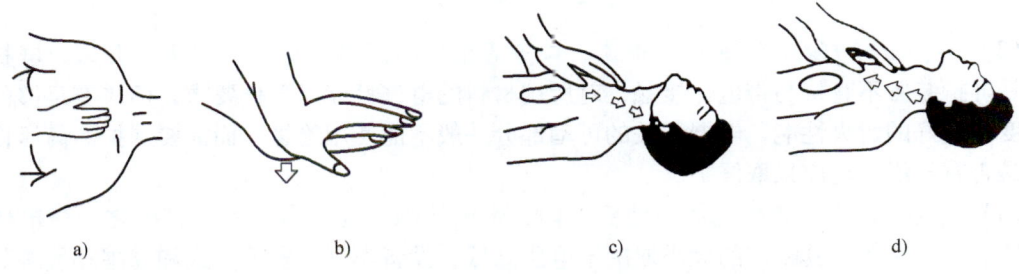

图2-23　胸外挤压心脏法

若触电者伤害得相当严重，心脏和呼吸都已停止，完全失去知觉，则需同时采用口对口人工呼吸和胸外挤压心脏两种方法。如果现场仅有一个人抢救，可交替使用这两种方法，先胸外挤压心脏4～6次，然后口对口呼吸2～3次，再挤压心脏，反复循环进行操作。

3. 电气消防

（1）灭火器的使用

1）干粉灭火器：主要适用于扑灭石油及其衍生物、油漆、可燃气体和电气设备的初起火灾，但不可用于电机着火时的扑救。

2）二氧化碳灭火器：主要适用于扑灭额定电压低于600V的电气设备、仪器仪表、油脂及酸类物质的初起火灾，但不适用于扑灭金属钾、钠、镁、铝的燃烧。

3）1211灭火器：适用于扑灭电气设备、电子仪器仪表、油类、化工、化纤原料、精密机械设备等的初起火灾。

4）泡沫灭火器：适用于扑灭油脂类、石油类产品及一般固体物质的初起火灾，但绝不可用于带电体的灭火。

（2）电气消防常识　当电气设备发生火警时，应立即拨打119火警电话报警。扑救电气火灾时注意触电危险，首先应立即切断电源，通知电力部门派专人到现场指导和监护扑救工作，运用正确的灭火知识，采取正确的方法灭火。

火灾发生后，由于受潮或烟熏，使开关设备的绝缘能力降低，所以拉闸时最好使用绝缘工具，剪切导线应使用带绝缘手柄的工具，并注意防止断落导线伤人。带电灭火时，灭火人员应与带电部位保持安全距离，在救火过程中同时注意防止发生触电事故或其他事故。

三、安全用电注意事项

1）检修电气设备或更换熔丝时，要先切断电源，并在电源开关处挂上"严禁合闸"的警告牌；在没有采取足够安全措施的情况下，严禁带电操作。
2）使用各种电气设备时，应采取相应的安全措施。
3）判断电线或用电设备是否带电，必须用验电器检查判断，不允许用手摸试。
4）电线或电气设备着火时，应迅速切断电源，在带电状态下，只能用黄沙、二氧化碳灭火器和1211灭火器进行灭火。
5）发现有人触电时，应首先使触电者脱离电源，然后进行现场抢救。
6）电气设备和材料的安全工作寿命是有限的，应按规定的年限使用，及时停用、报废旧仪器设备。

项目设备与器材

绝缘手套、绝缘靴、电话机、钢丝钳、木棒、人体模型、灭火器等。

项目内容和步骤

1. 模拟电气柜火灾现场，进行电气火灾的灭火

模拟电气柜火灾现场，进行电气火灾的灭火。模拟拨打119急救电话，用钢丝钳切断火灾现场电源，并且根据火灾特点，选择正确的消防器材灭火。

2. 利用人体模型，模拟人体触电事故，进行急救

模拟拨打120急救电话，迅速切断触电事故现场电源，或用木棒从触电者身上挑开电线，使触电者迅速脱离触电状态。将触电者移至通风干燥处，身体平躺，使其身体处于放松状态。根据具体情况，采取相应的急救方法实施抢救。

项目评价标准

安全用电项目评价标准见表2-8。

表 2-8 安全用电项目评价标准

序号	考核内容	评分标准	分数分配	得分
1	电气消防训练	1. 消防器材选用错误，扣 30 分 2. 不能采取正确方法灭火，扣 10 分 3. 操作步骤错误，扣 10 分	50 分	
2	触电急救训练	1. 采用的急救方法错误，扣 20 分 2. 急救过程操作步骤不对，扣 20 分	40 分	
3	安全文明生产	1. 违反安全操作规定，扣 3~5 分 2. 工具摆放不整齐，卫生不好，扣 3~5 分	10 分	

 项目实训报告

1）设计封面，包括项目名称、班级、姓名、指导老师、时间等。
2）实训报告内容包括项目器材、内容、步骤。记录在进行电气火灾灭火和触电急救时的操作步骤，写出注意事项，总结心得体会。

小 结

1. 大小和方向随时间按正弦规律变化的电压或电流，统称为正弦交流电。最大值、角频率和初相位是确定正弦量的三个要素，它们反映了正弦量的特性。最大值决定正弦量的变化范围；角频率决定正弦量变化的快慢；初相位决定正弦量的初始状态。

2. 在电阻元件的交流电路中，电流和电压是同相的，电压和电流的关系可由欧姆定律确定。

在电感元件的交流电路中，相位上电压比电流超前 $\frac{\pi}{2}$，电压有效值（幅值）、电流有效值（幅值）与感抗之间的关系符合欧姆定律关系。电感元件在电路中具有通直阻交的作用。

在电容元件的交流电路中，相位上电流比电压超前 $\frac{\pi}{2}$，电压有效值（幅值）、电流有效值（幅值）与容抗之间的关系符合欧姆定律关系。电容元件具有阻直流通交流的作用。

3. 三相交流电路通常由三个幅值相等、频率相同、相位互差 120°的三个正弦交流电压，按照一定的方式连接起来作为三相交流电源向负载供电。三相对称电源有星形（Y）和三角形（△）两种连接方式。星形联结的三相电源可以提供相电压和线电压两组电压，相电压和线电压的关系为 $U_L = \sqrt{3} U_P$，工矿企业的低压供电系统中，三相电源大多采用三相四线制星形联结，其相电压 U_P 为 220V，相应的线电压为 380V。

4. 三相负载也可有星形联结和三角形联结两种方式。三相对称负载为星形联结时，各相负载承受的电压为对应的电源相电压，线电流等于负载的相电流。三相对称负载为三角形联结时，各相负载承受的电压为对应的电源线电压，线电流等于负载电流的 $\sqrt{3}$ 倍。

5. 触电对人身造成的伤害可分为电伤和电击，常见的触电形式可分为单相触电、两相触电和跨步电压触电三种形式。口对口人工呼吸法和胸外挤压心脏法是触电急救的基本方法。

习 题

一、填空题

1. 正弦交流电的三要素是_____、_____和_____。
2. 我国工频电流周期 $T=$ _____，频率 $f=$ _____，角频率 $\omega=$ _____。
3. 我国照明用电的电压是_____V，其最大值为_____。
4. 相位差是指两个_____正弦交流电的_____之差。
5. 某电路中只有电阻 $R=2\Omega$，电压 $u=314\sin314t$V，则电阻上通过的电流表达式 $i=$ _____，电流有效值 $I=$ _____A，有功功率 $P=$ _____。
6. 当三相负载的额定电压分别等于三相电源的线电压、相电压时，应分别采用_____形、_____形联结方式。

二、选择题

1. 人们常说的交流电压220V、380V是指交流电压的（　　　）。
   A. 最大值　　　　B. 有效值　　C. 瞬时值　　　　D. 平均值
2. 关于交流电有效值，下列说法正确的是（　　　）。
   A. 最大值是有效值的 2 倍
   B. 有效值是最大值的 $\sqrt{2}$ 倍
   C. 最大值为 311V 的正弦交流电就热效应而言，相当于一个 220V 的直流电压
   D. 最大值为 311V 的正弦交流电可以用 220V 的直流电代替
3. 某正弦交流电的初相位 $\psi_0=-\dfrac{\pi}{2}$，在 $t=0$ 时，其瞬时值（　　　）。
   A. 等于零　　　　B. 小于零　　C. 大于零　　　　D. 不确定
4. 若 $u=100\sin(\omega t+60°)$ V，$i=20\sin(\omega t-45°)$ A，则 u 的相位比 i 超前（　　　）
   A. 15°　　　　　B. $-15°$　　C. 105°　　　　　D. 不确定
5. 正弦电流通过电阻元件时，下列关系中正确的是（　　　）。
   A. $i=\dfrac{U}{R}\sin\omega t$ 　　　　　　　B. $i=\dfrac{\sqrt{2}U_m}{R}\sin(\omega t+\psi_0)$
   C. $I=\dfrac{U}{R}$ 　　　　　　　　　　　D. $i=\dfrac{U_m}{R}$
6. 三相对称负载为星形联结，接在线电压为380V 的三相电源上，若第一相负载断路，则第二相和第三相负载的线电压分别为（　　　）。
   A. 380V、220V　　　　　　　　　B. 380V、380V
   C. 220V、220V　　　　　　　　　D. 190V、190V

三、判断题

1. 耐压500V 的电容器接在500V 的交流电源上可以正常工作。（　　）

2. 正弦交流电流 $i = \sin(\omega t + \frac{\pi}{2})$ A，用交流电流表测得它的电流值是707mA。（   ）
3. 电容器常称为"高通"元件，即高频电流容易通过。（   ）
4. 三相电源系统是对称的，与负载连接方式无关。（   ）
5. 在三相四线制中，任何一相负载的变化，都不会影响其他两相。（   ）
6. 应为星形联结的电动机，误接成三角形联结，电动机不会烧坏。（   ）
7. 星形联结时，负载越对称，中性线电流越小。（   ）
8. 只要电源中性点接地，人体触及带电设备某一相就不会造成触电事故。（   ）

四、计算题

1. 有一个 $R = 50\Omega$ 的电阻，通过的电流为 $i = 1.41\sin(\omega t - \frac{\pi}{6})$ A，求 R 两端电压 U_R，写出 u_R 表达式，并作电压、电流的相量图。

2. 在电感交流电路中，电感的感抗 $X_L = 30\Omega$，流过电感的电流 $i = 1.41\sin(\omega t + \frac{\pi}{6})$ A，求电压 U_L 和无功功率 Q_L。

3. 已知电容性交流电路中，$U_C = 10$V，$I_C = 2$A，$f = 50$Hz，求 X_C 和 C。

4. 有一三相对称负载，其各相电阻等于 10Ω，负载的额定电压为220V，现将它接成星形联结，接在线电压为380V的三相电源上，求相电流、线电流。

模块 3

电磁现象与电磁部件

知识目标

要知道:
1) 磁场的特性及基本物理量的概念和特点。
2) 铁磁材料特性及其应用。

要熟悉:
1) 电磁铁、继电器的结构和工作原理。
2) 变压器的工作原理和电压、电流、阻抗变换的特性。
3) 汽车上电磁铁、继电器的典型应用。

能力目标

会检测:
1) 汽车上各种电磁铁、继电器的故障。
2) 点火线圈的故障。

会计算:
1) 磁场的基本物理量。
2) 变压器的电压、电流、阻抗变换。

会分析:
1) 汽车上常见电气部件磁路。
2) 汽车上常见电磁部件的工作原理。

素质目标

1) 通过学习磁场的特性和基本物理量,培养学生锲而不舍的科学精神,引导学生树立远大理想,培养学生勇于创新的精神。
2) 通过小组分工、团队合作,加强学生集体观念。

项目 3.1 磁场及磁路

项目相关知识

一、磁体与磁场

1. 磁体

在物理学中我们知道，物体能够吸引铁、钴、镍等金属或它们合金的性质称为磁性。具有磁性的物体称为磁体。大量实验证明，磁体具有以下主要性质：

1）磁体的两端磁性最强，称为磁极。磁极具有南北指向性，通常把指向南端的磁极称为南极，用 S 表示；指向北端的磁极称为北极，用 N 表示。

2）同性磁极互相排斥，异性磁极互相吸引，磁体之间的这种作用力称为磁力。

3）原来没有磁性的铁磁物质，放在磁铁旁边会获得磁性，称为磁化。被磁化的铁磁物质远离磁铁后仍保留一定的磁性，称为剩磁。

2. 磁场

磁极之间存在的相互作用力是通过磁场传递的，磁场是磁体周围空间的一种特殊物质。

实验证明，磁场具有强弱和方向，而且在磁场的不同位置上其强弱和方向一般情况下也是不同的。通常用磁力线直观形象地表示出磁场在空间各点的强弱和方向，所谓磁力线，就是一条条从磁体北极沿磁体周围空间到达南极，然后再通过磁体内部回到北极的闭合曲线。磁力线上每一点的切线方向表示该点的磁场方向。磁力线在每一处的疏密程度（单位面积磁力线条数）表示该点的磁场强弱。条形磁铁的磁场磁力线如图 3-1 所示。

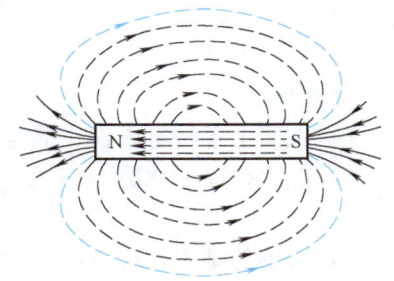

图 3-1 条形磁铁的磁场磁力线

3. 电流的磁效应

电现象和磁现象是紧密联系的，电流和磁铁均能在其周围激发磁场。通电导体周围的磁场方向，即磁力线方向与电流的关系可以用安培定则（右手螺旋定则）来判断。电流的磁场如图 3-2 所示。

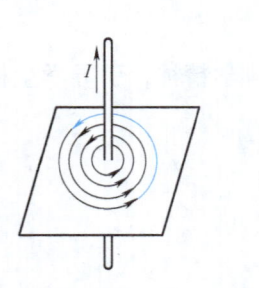 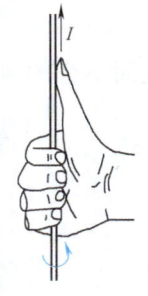 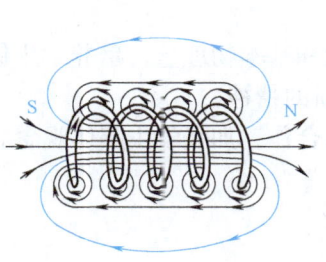 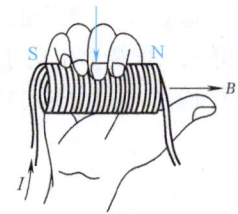

a) 直线电流的磁场　　b) 右手螺旋定则　　c) 通电线圈的磁场　　d) 右手螺旋定则

图 3-2 电流的磁场

二、磁场的基本物理量

1. 磁感应强度 B

磁感应强度是定量描述各点磁场强弱和方向的物理量，与磁场方向垂直的单位面积 S 上的磁通量称为磁感应强度，用符号 B 表示，单位为特斯拉（T）。它的大小反映磁场的强弱，方向就是该点磁场的方向，即该点磁力线的切线方向。

在匀强磁场中，磁感应强度的大小和方向都是相同的，所画的磁力线是一组分布均匀的平行直线。

2. 磁通量 Φ

磁通量是用来描述磁场中某个面积上磁场强弱的物理量，简称磁通，用字母 Φ 表示。其定义为：垂直通过某一面积的磁力线总数。匀强磁场中，B 为常数，磁感应强度 B 与其垂直的某一截面 S 的乘积称为该面积的磁通，即 $Φ = BS$。磁通单位韦伯，简称韦，用 Wb 表示。磁通量是标量，只有大小没有方向。

3. 磁导率 μ

磁导率是表征媒介质磁化性质的物理量，用符号 μ 表示，单位为亨/米（H/m）。磁导率与真空磁导率 $μ_0$ 的比值称为相对磁导率，用 $μ_r$ 表示。不同的媒介质，磁导率是不同的，磁导率大的媒介质导磁能力强，磁导率小的媒介质导磁能力弱。

根据物质的磁导率大小，通常把物质分为三类：顺磁物质（相对磁导率略大于1）、反磁物质（相对磁导率略小于1）、铁磁物质（相对磁导率远大于1）。铁磁物质由于磁导率很大，在产生相同磁场时，可以大大减小线圈的体积与质量以及流过线圈的电流，所以铁磁物质在电工技术中（如汽车电气设备）都得到了十分广泛的应用。

4. 磁场强度 H

磁场强度定义为该点磁感应强度 B 与物质磁导率 μ 之比，即

$$H = \frac{B}{μ}$$

磁场强度单位为安培/米，符号为 A/m。磁场强度 H 也是矢量，磁场中某点磁场强度的方向即为该点磁感应强度的方向。

三、磁路及霍尔效应

1. 磁路

由于铁磁材料具有很高的磁导率，铁心线圈中只要通以较小的电流，便能得到较强的磁场。电气设备和测量仪表的铁心均采用高磁导率的铁磁材料制成，使磁力线几乎全部从中穿过而形成一个闭合路径，以获得较大的磁场。磁力线所通过的闭合路径称为磁路。

几种电器的磁路如图 3-3 所示。绝大部分磁通通过闭合的磁路（包括空气隙），称为主磁通；少数穿出铁心，经过周围弱磁性物质而闭合的磁通称为漏磁通。由于漏磁通只占总磁通的很小一部分，所以在磁路分析和计算时，一般忽略不计。

在磁路中，磁通与产生磁通的磁通势（NI）成正比，与磁路的磁阻 R_m 成反比，这就是磁路的欧姆定律，即

$$Φ = \frac{NI}{R_m}$$

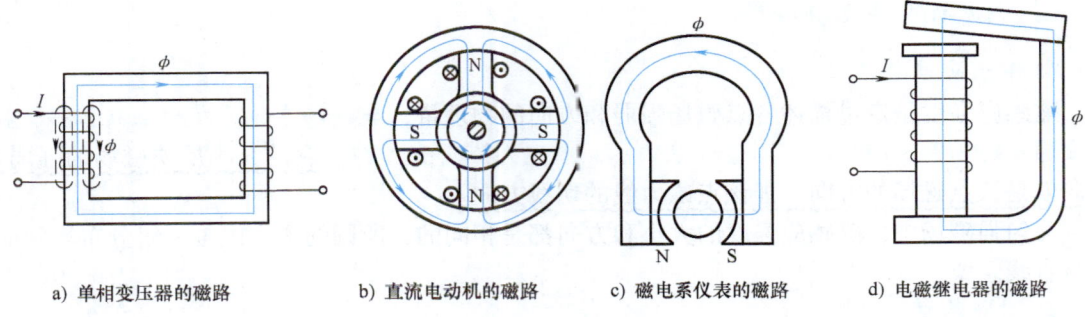

a) 单相变压器的磁路　　b) 直流电动机的磁路　　c) 磁电系仪表的磁路　　d) 电磁继电器的磁路

图 3-3　几种电器的磁路

应当指出，运用磁路欧姆定律进行实际计算比较困难，一般只做定性分析，因为磁阻不是一个常数，它随着磁路饱和程度的变化而变化。

2. 霍尔效应

霍尔效应如图 3-4 所示，把一块厚为 d 的半导体膜片放在磁场中，在半导体的膜片两端通以控制电流，并在膜片的垂直方向施加磁感应强度为 B 的磁场，则在垂直于电流和磁场的方向上将产生一定的电势差 U_H，这一现象就称为霍尔效应。霍尔电压 U_H 与控制电流 I 及磁感应强度 B 成正比。如果撤去磁场，或者撤去电流，霍尔电压也就随之消失。霍尔电压的大小为

$$U_H = R_H IB/d$$

式中，R_H 为霍尔系数，其值与材料电荷密度成反比。

霍尔电压的极性，可以用带电粒子在磁场中运动时受到电磁力的作用来判断，即将左手伸开，让磁力线穿过掌心，四指指向控制电流的方向，此时大拇指所指的方向为电磁力方向，也就是霍尔电压 U_H 的正极。

霍尔效应在汽车上被广泛使用。霍尔效应传感器如图 3-5 所示，在转子表面靠近边缘的地方固定一小块磁铁，将霍尔元件设置在转子边靠近转子的地方，且正面对着磁铁。当磁铁转到霍尔元件正面时，霍尔元件输出电压；磁铁转过后，输出电压为零。因此，转子每旋转一周，霍尔元件就输出一个脉冲，这些脉冲接入频率计或计数器即可测出转子转速。因为转子与曲轴连接在一起，因此这里测出的转速就是汽车发动机的转速。

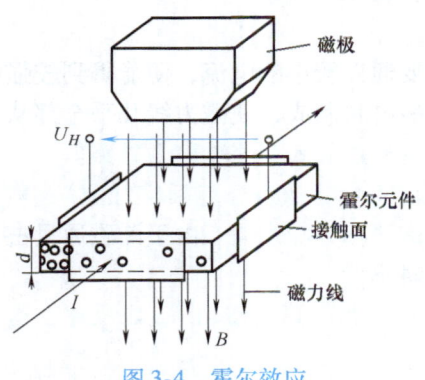

图 3-4　霍尔效应

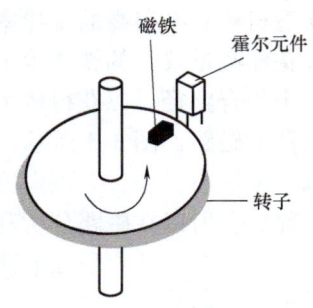

图 3-5　霍尔效应传感器

霍尔汽车点火系统如图3-6所示，其核心部件是磁轮和霍尔元件。在磁轮外圆上镶嵌了一圈永久磁铁，相邻霍尔元件的感应面正对磁轮，当磁轮转动时，N、S极交替出现在霍尔元件感应面上，使霍尔元件产生正负交替变化的脉冲电压，用这个脉冲电压去触发功率开关管，使它导通或截止，那么在点火线圈二次侧中便产生15kV的高电压，通过火花塞点燃气缸中的燃油。随着发动机的转动，上述过程将周而复始地进行下去，这就是点火系统的工作原理。

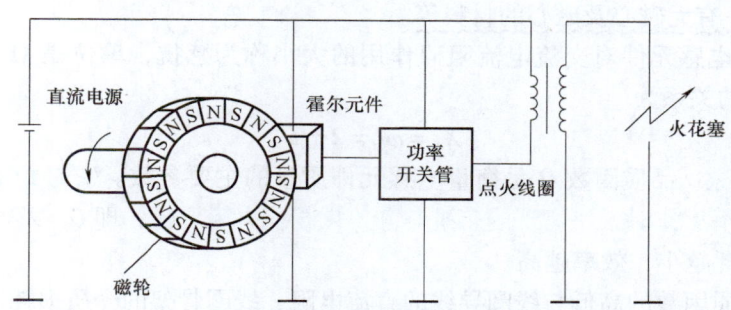

图3-6　霍尔汽车点火系统

四、电感元件

1. 电感元件基础知识

电感元件是根据电磁感应原理制作的元件，又称电感。电感元件是从实际电感线圈抽象出来的电路模型。当电感线圈通以电流时，将产生磁通，在其内部及周围建立磁场，储存磁场能量。当忽略导线电阻及线圈匝与匝之间的电容时，可将其抽象为只具有储存磁场能量性质的电感元件。

电感线圈是由导线一圈靠一圈地绕在绝缘管上，导线彼此互相绝缘，而绝缘管可以是空心的，也可以包含铁心或磁心。它是一种存储磁能的元件，具有阻碍交流电通过的特性，在电路中起调谐、振荡、补偿等作用。电感线圈在电路中用字母 L 表示，单位为亨（H），常用单位有毫亨（mH）、微亨（μH），其关系为

$$1H = 10^3 mH = 10^6 \mu H$$

当电感元件中电流变化时，磁通也发生变化，即 $\Phi = Li$。根据电磁感应定律，线圈中便产生感应电动势，这种由于自身电流变化而产生的感应电动势称为自感电动势，用 e_L 表示，有

$$e_L = -\frac{\Delta \Phi_L}{\Delta t} = -L\frac{\Delta i_L}{\Delta t}$$

"－"表示自感电动势阻碍电流变化。

当电感元件的电流 i_L、自感电压 u_L 和自感电动势 e_L 的参考方向一致时，可得

$$u_L = -e_L = L\frac{\Delta i_L}{\Delta t}$$

此式说明，电感元件的电压与流过电流的变化率成正比。在直流电路中，电流不变化，理想电感元件上的电压为零，相当于短路，所以在直流电路中不必考虑电感元件的作用。

2. 电感元件的主要参数

电感元件的主要参数有电感量、感抗、品质因数、分布电容及额定电流等。

（1）电感量　电感量是表示电感线圈的电感数值大小的量。电感元件表面所标的电感量为元件的额定电感量。电感元件的实际电感量和额定电感量之间的差值称为电感元件的误差。

电感量表示电感元件本身固有特性，与电流大小无关，主要取决于线圈的圈数（匝数）、绕制方式、有无磁心及磁心的材料等。

（2）感抗　电感元件对交流电流阻碍作用的大小称为感抗，单位是 Ω。它与电感量 L 和交流电频率 f 的关系为

$$X_L = \omega L = 2\pi f L$$

（3）品质因数　品质因数 Q 是衡量电感元件质量的主要参数。它是指电感元件在某一频率的交流电压下工作时，所呈现的感抗与其等效损耗电阻之比，即 $Q = X_L/R$。电感元件的 Q 值越高，其损耗越小，效率越高。

电感元件品质因数的高低与线圈导线的直流电阻、线圈骨架的介质损耗及由铁心、屏蔽罩等引起的损耗有关。

（4）分布电容　分布电容是指线圈的匝与匝之间、线圈与磁心之间存在的电容。电感元件的分布电容越小，其稳定性越好。

（5）额定电流　额定电流是指电感元件正常工作时允许通过的最大电流值。若工作电流超过额定电流，则电感元件就会因发热而使性能参数发生改变，甚至还会因过电流而被烧毁。

3. 电感元件的性能检测

可以使用万能电桥或 Q 表准确测量电感元件的电感量 L 和品质因数 Q。采用具有电感档的数字式万用表来检测电感元件也很方便。电感元件是否开路或局部短路，以及电感量的相对大小可以用万用表做出粗略检测和判断。

项目设备与器材

万用表、各种规格电感元件若干。

项目内容和步骤

1. 外观检查

检测电感元件时先进行外观检查，看线圈有无断线、生锈、发霉、松散、引脚有无折断、线圈是否烧毁或外壳是否烧焦等现象。若有上述现象，则表明电感元件已损坏。根据外观进行电感元件主要参数的识别。

2. 万用表电阻法检测

用万用表的欧姆档测线圈的直流电阻。电感元件的直流电阻一般很小，匝数多、线径细的线圈能达几十欧；对于有抽头的线圈，各引脚之间的阻值均很小，仅有几欧。若用万用表 $R \times 1\Omega$ 档测线圈的直流电阻，阻值无穷大说明线圈（或与引出线间）已经开路损坏；若阻值比正常值小很多，则说明有局部短路。若阻值为零，则说明线圈完全短路。

项目评价标准

电感元件的检测项目评价标准见表3-1。

表3-1 电感元件的检测项目评价标准

序号	考核内容	评分标准	分数分配	得分
1	外观检查	1. 不能正确进行外观检查，扣5~15分 2. 检查结果不正确，扣5~15分	30分	
2	万用表电阻法检测	1. 万用表使用不正确，每次扣10分 2. 测量结果不正确，每次扣10分	60分	
3	安全文明生产	1. 违反安全操作规定，扣3~5分 2. 工具摆放不整齐，卫生不好，扣3~5分	10分	

项目实训报告

1）设计封面，包括项目名称、班级、姓名、指导老师、时间等。
2）实训报告内容包括项目目标、器材、步骤，写出测量心得体会和测量过程中的注意事项。

项目 3.2 电磁部件及应用

项目相关知识

一、铁磁材料

铁磁材料具有<u>高导磁性</u>、<u>磁饱和性</u>和<u>磁滞性</u>。

（1）<u>高导磁性</u> 铁磁材料的磁导率很高，表现为具有很强的磁化特性，即在外磁场的作用下能产生远远大于外磁场的附加磁场。

（2）<u>磁饱和性</u> 当外磁场增加到一定的数值时，即使外磁场增加，附加磁场也不会再增加，这时磁感应强度 B 达到最大值，铁磁材料的这一特性称为磁饱和性。

（3）<u>磁滞性</u> 铁磁材料饱和后，铁磁材料在反复磁化过程中，磁感应强度 B 的变化总是滞后磁场强度 H 的变化，这就是铁磁材料的磁滞性。

根据不同铁磁材料的特点，可把铁磁材料分为三大类：

（1）<u>软磁材料</u> 软磁材料的特点是磁导率 μ 很大，容易磁化，也容易去磁。所以，在交变磁场中工作的各种设备都采用软磁材料（如硅钢片、坡莫合金）来制造电机、变压器、电磁铁等电器的铁心，如汽车上的发电机转子、起动机用的转子、高压线圈内的铁心以及各种继电器用的铁心等均为软磁材料。

（2）<u>硬磁材料</u> 硬磁材料的特点是不易磁化，也不易去磁。所以，硬磁材料（如碳钢、钨钢、铝镍钴合金等）常用来制造永久磁铁，用于磁电系仪表和各种扬声器中，如汽车上常用的电磁系仪表、电压表、机油压力表、燃油表等均采用永磁式转子。

（3）矩磁材料　矩磁材料的特点是在很小的外磁场作用下，就能磁化并达到饱和；外磁场去掉后，磁性不变。矩磁材料（如锰-镁铁氧体、锂-锰铁氧体）主要用来制造计算机中存储元件的环形磁心。

二、电路中的铁心线圈

电气工程中常用的电磁铁、变压器、继电器、电动机等元件和设备中都有铁心线圈，以便用较小的励磁电流产生较强的磁场。

1. 直流电路中的铁心线圈

在直流电路中铁心线圈的励磁电流是直流，产生的磁通是恒定的，在线圈和铁心中不会感应出电动势。在一定的直流电压 U 的作用下，线圈中的电流 I 只和线圈本身的电阻 R 有关，功率损耗也只有 I^2R。铁心线圈在直流电路中经常用于直流电磁铁、继电器、滤波器等。

2. 交流电路中的铁心线圈

当线圈通有交流电时，它所产生的磁通也是交变的。在交流铁心线圈中，除线圈电阻上有功率损耗（铜损）外，铁心中也有功率损耗（铁损）。

铁磁物质在反复磁化过程中要消耗能量并转变为热能而耗散，这种能量损耗称为磁滞损耗。磁滞损耗会引起铁心发热。为了减小磁滞损耗，常选用磁滞回线面积小的软磁材料制作铁心。

交变磁通穿过铁心时，由于铁心既是导磁材料又是导电材料，因而不仅在铁心线圈中产生感应电动势，而且在铁心内也会产生感应电动势。在此电动势作用下，在铁心内形成了旋涡状的感应电流，称为涡流。涡流在铁心中的流动使铁心发热，这种由于涡流而引起的损耗称为涡流损耗。为了减小涡流损耗，交流电工设备中的铁心都是采用顺着磁场方向彼此绝缘的硅钢片叠成的。

但涡流也有其有用的一面。机械传感式车速表如图3-7所示，就是利用涡流原理制成的，其指针固定于一个圆形铝盘转子上，铝盘下面有一对与车速成正比的、作为旋转磁极的磁铁。当磁铁旋转时，铝盘受到旋转磁场的作用，产生感应电流——涡流。该涡流与旋转磁场相互作用后就带动铝盘朝旋转磁场方向转动，当铝盘转动力矩与复位弹簧弹力平衡时，指针就指示出一定的车速值。

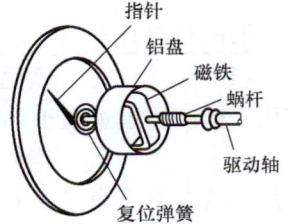

图3-7　机械传感式车速表

三、电磁铁

电磁铁是利用通电线圈所产生的强磁场来吸引铁磁物质（衔铁）动作的电器。它广泛地应用在继电器、接触器及自动装置中。

电磁铁由励磁线圈、铁心和衔铁组成，其结构如图3-8所示。工作时，电流通入励磁线圈产生磁场，使铁心和衔铁都被磁化，衔铁受到电磁力的作用而吸合，电磁铁的衔铁可带动其他机械零件或触点动作，实现各种控制和保护。断电时，磁场消失，衔铁在弹性力作用下释放。

电磁铁在生产中的应用非常广泛。当衔铁为被加工的工件时，则起到固定工件位置的作用，如磨床中常用的电磁吸盘。

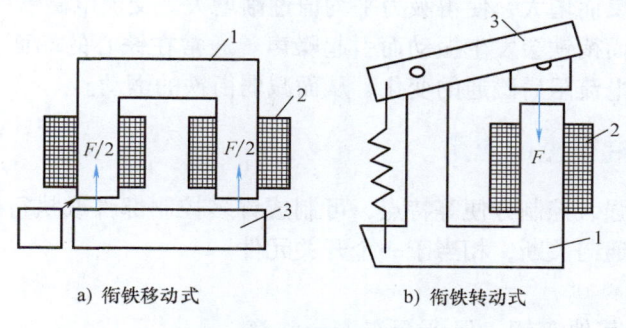

图 3-8　电磁铁的结构
1—铁心　2—线圈　3—衔铁

根据电磁铁中所通过电流的不同，可将其分为直流电磁铁和交流电磁铁两大类。

1. 直流电磁铁

直流电磁铁的励磁电流是直流。可以证明，直流电磁铁的衔铁所受吸力为

$$F = 4B_0^2 S \times 10^5$$

式中，B_0 为空气隙磁感应强度（Wb/m²）；S 为空气隙磁场截面积（m²）；F 为电磁铁的吸力（N）。

直流电磁铁采用直流电流励磁，铁心中的磁通恒定，没有感应电动势产生，线圈中的励磁电流由电源电压和线圈内阻决定。因此直流电磁铁具有以下特点：

1) 线圈中的直流励磁电流只取决于电源电压和线圈内阻，其值是不变的，与空气隙大小无关。

2) 直流电磁铁在衔铁吸合过程中气隙是逐渐变小的，磁路中的磁阻也逐渐变小，磁通变大，吸力也变大。

根据磁路欧姆定律（$\Phi = NI/R_m$）可知，当励磁电流不变时，磁通与磁阻成反比，在衔铁吸合过程中磁通逐渐变大，由此说明直流电磁铁的吸力 F 的大小与衔铁所处空间位置有关，电磁铁在开始吸合时的吸力要比工作时的吸力小很多。

2. 交流电磁铁

交流电磁铁采用交流电流励磁，气隙中的磁感应强度随时间的变化而变化，所以交流电磁铁的吸力也要随时间的变化而变化。一般计算时，只考虑其平均值 F_{av}（平均吸力是最大吸力的一半），其计算公式为

$$F_{av} = 2B_0^2 S \times 10^5$$

交流电磁铁的特点：

1) 交流电磁铁的励磁电流有效值在吸合后逐渐减小。

2) 在衔铁吸合过程中，交流电磁铁吸力 F 平均值逐渐增大。

交流电磁铁吸合前后的空气隙不同，引起的磁阻不同。在吸合过程中，随着气隙的减小，磁阻减小，线圈的电抗和感抗增大，交流电磁铁在开始吸合时的电流要比吸合后的电流大很多。当交流电磁铁线圈得电，而衔铁由于种种原因不能吸合时，线圈会由于电流过大易

过热甚至烧坏，这也是交流电磁铁比直流电磁铁容易烧坏的原因。

由于受到漏阻抗的限制，磁通势的减小速度小于磁阻的减小速度，于是，磁通、磁感应强度随着气隙的减小反而增大，使得吸力平均值逐渐增大。交流电磁铁的吸力随时间在零与最大值之间变化，因而衔铁会发生振动而引起噪声。通常在铁心的端面上嵌装一个短路环，短路环内产生的感应电流阻碍磁通的变化，从而减弱衔铁的颤动。

四、电磁铁在汽车上的应用

利用电磁铁磁性强、控制方便等特点，可制成许多控制部件或执行部件应用到汽车上，它可以控制电路的接通与关断，相当于一个开关元件。

1. 电喇叭

为了警告行人和其他车辆，保证行车安全，汽车上都安装有电喇叭。目前，国产汽车使用的多为盆形和螺旋形电喇叭。两种电喇叭的结构和工作原理基本相同。盆形电喇叭的结构如图3-9所示，电喇叭靠电磁原理使膜片振动发出报警信号。盆形电喇叭由铁心、线圈、衔铁、膜片、动断触点等组成。膜片和衔铁固定连在一起，动断触点与线圈串联，其中一个触点依附于衔铁，其状态由衔铁决定。当衔铁下移时，触点打开；复位后，触点即恢复闭合状态。

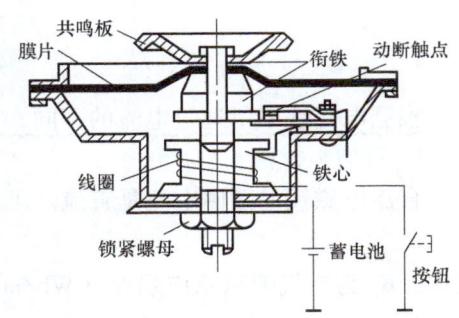

图3-9　盆形电喇叭的结构

当电流流过线圈时，线圈便建立起吸引衔铁的磁场，使衔铁和膜片下移，导致触点打开，从而断开电路，磁力消失，衔铁和膜片在触点臂的弹力作用下复位，触点再次闭合。触点闭合后，线圈又通电产生磁力吸引衔铁和膜片下移。如此反复，使膜片振动，引起喇叭里面的空气柱振动，从而发出声音。

电喇叭发出的音调与膜片每秒振动次数有关，振动越快，音调越高。调整施加给衔铁的弹簧拉力，吸引衔铁的阻力越小，膜片的振动频率就越高，发出的音调越高。

2. 汽车电控燃油喷射系统中的喷油器

汽车电控燃油喷射系统中的喷油器如图3-10所示，其中，电磁铁中的衔铁与针阀是一体的。喷油器就是采用电磁铁的电磁吸力来打开或关闭燃油计柱塞，从而来控制喷油器的喷油量。当发动机ECU（电子控制单元）发出喷油指令时，电磁线圈通电产生电磁吸力，吸引衔铁沿着轴向向右移动，并带动针阀克服弹簧弹力离开阀座，燃油即开始喷射。当发动机ECU发出停止喷油指令时，喷油器电磁线圈的搭铁回路被切断，电磁吸力消失，在弹簧弹力作用下针阀关闭，喷油停止。

五、继电器

继电器是用来实现电路中连接点闭合或断开的一种控制器件，通常应用于自动控制电路中。继电器是一种用小电流或低电压去控制大电流或高电压的自动开关电器，在电路中起着转换电路、自动调节、安全保护等作用。

继电器的输入信号可以是电压、电流等电量，也可以是热、速度、油压等非电量，而输

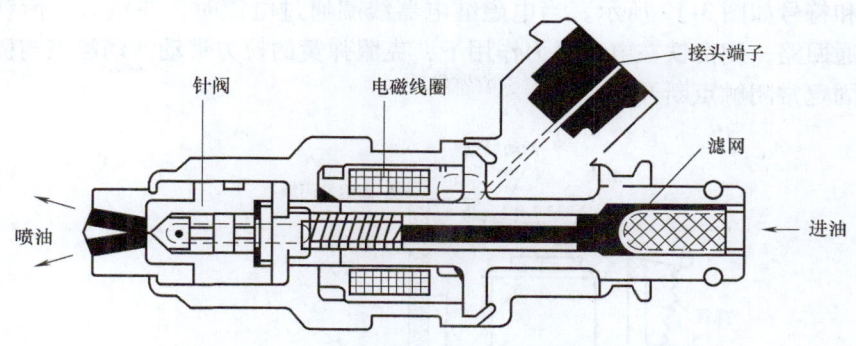

图3-10 汽车电控燃油喷射系统中的喷油器

出则都是触点动作,使输出量发生预定的变化。继电器的电磁系统和触点都较小,因此它的动作迅速、反应灵敏。在工业控制中使用的中间继电器、热继电器体积都较大,线圈通过的电流或承受的电压较大,触点允许通过的电流较大。在汽车电器系统中所使用的继电器体积较小,触点控制的电流也较小,属于小型继电器。

1. 干簧继电器

在干簧管外面套上磁化线圈就构成了干簧继电器,如图3-11所示,当线圈通入电流时,在线圈的轴向产生了磁场,该磁场使密封管内的两干簧片磁化,于是在两干簧片触点上产生极性相反的两种磁极,它们就相互吸引而闭合。当线圈断电时,磁场消失,两干簧片也失去磁性,依靠其自身的弹性而恢复原位,使触点断开。

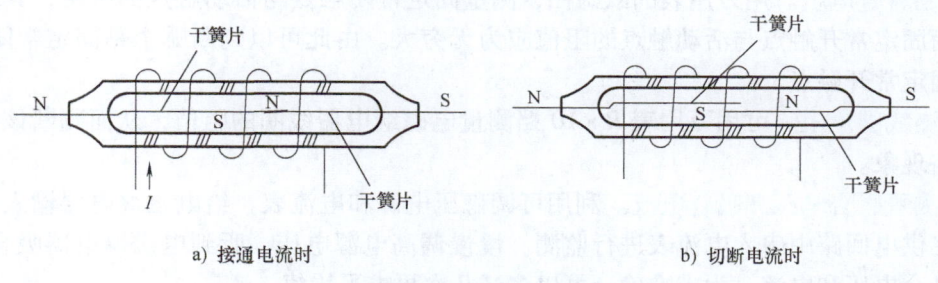

a) 接通电流时　　　　　　　　b) 切断电流时

图3-11 干簧继电器

除了可以用通电线圈来使干簧片磁化,还可直接用一块永久磁铁靠近干簧片来使其磁化。汽车制动液液面报警装置如图3-12所示,就是利用这一原理工作的。当永久磁铁靠近干簧片时,触点同样被磁化而闭合;当永久磁铁离开干簧片时,触点则断开。

干簧继电器具有动作迅速、灵敏度高、稳定可靠和功耗低等优点,常用来制作传感器。

2. 电磁继电器

电磁继电器是一种具有跳跃输出特性、传递信号的电磁器件。它由<u>电磁机构</u>与触点系统两部分组成,包括<u>铁心、衔铁、磁化线圈、触点、弹簧等</u>。电磁继

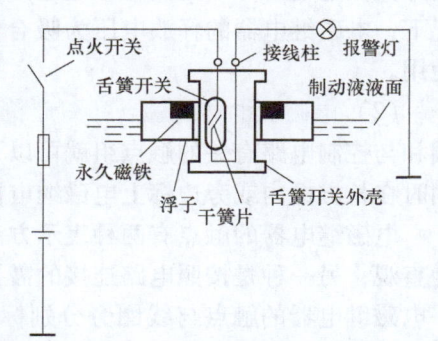

图3-12 汽车制动液液面报警装置

电器的结构和符号如图 3-13 所示。当电磁继电器线圈通过电流时，在铁心、衔铁以及空气隙中形成磁通回路，使衔铁在电磁吸力作用下，克服弹簧的拉力带动活动触点与固定常开触点接通，与固定常闭触点断开。

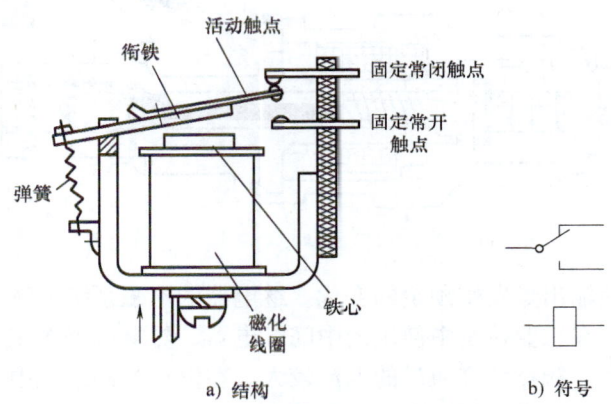

图 3-13 电磁继电器的结构和符号

当线圈断电时，电磁吸力随之消失，衔铁就会在弹簧的反作用力下返回原来的位置，从而使活动触点与固定常开触点断开，与固定常闭触点闭合。利用触点的开、闭，就可以实现对电路的控制。

（1）电磁继电器的测试

1）测触点电阻。用万用表的欧姆档，测量固定常闭触点与活动触点的电阻，其阻值应为零，而固定常开触点与活动触点的阻值应为无穷大。由此可以判断哪个是固定常闭触点，哪个是固定常开触点。

2）测线圈电阻。可用万用表 $R \times 10$ 档测量电磁继电器线圈的阻值，从而判断该线圈是否有开路现象。

3）测量吸合电压和吸合电流。利用可调稳压电源和电流表，给电磁继电器输入一组电压，且在供电回路中串入电流表进行监测。慢慢调高电源电压，听到电磁继电器吸合声时，记下该吸合电压和电流。为求准确，可以多试几次再求平均值。

4）测量释放电压和释放电流。连接测试如上述所示，当电磁继电器发生吸合后，再逐渐降低供电电压，当听到电磁继电器再次发出释放声音时，记下此时的电压和电流。一般情况下，电磁继电器的释放电压为吸合电压的 10%~50%，如果释放电压太小，则不能正常使用。

（2）电磁继电器的触点和图形符号　在电路中，表示电磁继电器时只需要画出它的线圈和与控制电路有关的触点组就可以了，电磁继电器线圈在电路中用一个长方框符号表示，同时在长方框内或旁边标上电磁继电器的文字符号"K"。

电磁继电器的触点有两种表示方法：一种是把它们直接画在长方框一侧，这种表示法较为直观；另一种是按照电路连接的需要，把各个触点分别画到各自的控制电路中，通常在同一电磁继电器的触点与线圈旁分别标注上相同的文字符号，并将触点组编上号码，以示区别。电磁继电器的常用符号见表 3-2。

在电路中，一般只画出电磁继电器线圈不通电时触点组的原始状态。汽车用电磁继电器符号如图 3-14 所示。

表 3-2　电磁继电器的常用符号

电磁继电器线圈符号	电磁继电器触点符号	
K	K	动合触点（常开触点）
	K	动断触点（常闭触点）
	K	切换触点（转换触点）

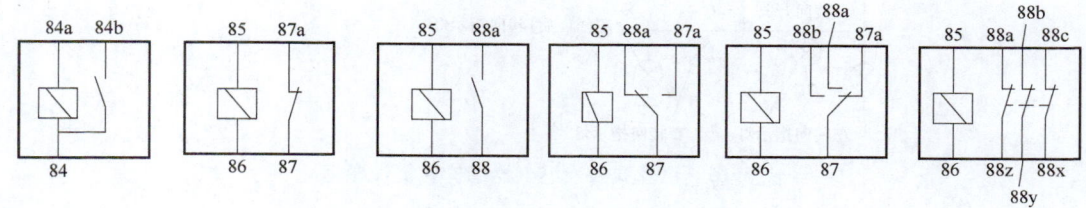

图 3-14　汽车用电磁继电器符号

六、汽车应用典型继电器

1. 电喇叭继电器

继电器是一种利用线圈电路的小电流控制触点电路大电流的开关电器。在汽车上，经常利用开关控制继电器的吸合与断开，进而利用继电器的触点控制电气部件的通断，这样就可以避免开关或按键无法承受汽车电气部件的大电流而被烧毁。

电喇叭继电器是汽车上使用的一种典型继电器，其电路如图 3-15 所示，由继电器线圈、喇叭按钮、蓄电池等构成。电喇叭继电器的线圈由蓄电池供电，由喇叭按钮控制电路的状态，喇叭也由蓄电池供电，由继电器触点控制其状态。

按下喇叭按钮接通电路，继电器线圈得电建立磁场，衔铁下移使触点闭合，喇叭电路接通。松开喇叭按钮后，线圈失电，在反力弹簧作用下衔铁复位，触点打开，从而切断喇叭电路。由于继电器线圈

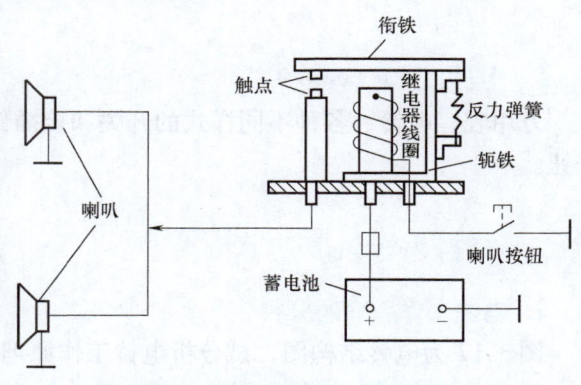

图 3-15　电喇叭继电器电路

阻值很大，因此电路中流经喇叭按钮的电流较小。线圈需要通过 0.25A 的小电流，就可以在喇叭的驱动电路中通过 20~30A 的大电流。

需要注意的是，当汽车电喇叭继电器损坏后，不能将喇叭按钮直接接在电路中，那样会烧毁按钮。

2. 热丝式闪光继电器

热丝式闪光继电器，也被称为电热式闪光器，结构和工作原理如图 3-16 所示，线圈

一端与固定触点相连，另一端与接线柱相连，镍铬丝一端与活动触点相连，另一端与调节片相连，且具有较大的热膨胀系数。不工作时，活动触点在镍铬丝的拉紧下与固定触点分开。

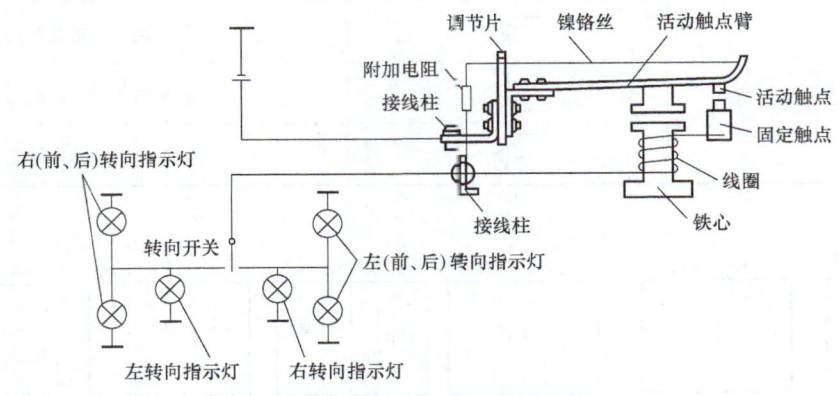

图 3-16　热丝式闪光继电器结构和工作原理

当汽车向右转弯时，接通转向开关，电流从蓄电池正极、接线柱、活动触点臂、镍铬丝、附加电阻、接线柱、转向开关、转向指示灯、搭铁、蓄电池负极，形成回路。此时由于附加电阻和镍铬丝串入电路中，电流较小，所以转向指示灯不亮。经一段时间后，镍铬丝受热膨胀而伸长，使触点闭合，电流经蓄电池正极、接线柱、活动触点臂、触点、线圈、接线柱、转向开关、转向指示灯、搭铁、蓄电池负极，形成回路。此时由于附加电阻和镍铬丝被短路，电流较大，所以转向指示灯发出较亮的光。此时镍铬丝因短路冷却而收缩，触点打开，附加电阻重新串入电路，灯光又变暗。如此反复变化，使通过转向指示灯的电流忽大忽小，从而使转向指示灯一明一暗闪烁。

 项目设备与器材

万用表、电铃、各种不同样式的开关和接插件、汽车用电磁继电器、汽车用喇叭及喇叭按钮。

 项目内容和步骤

1. 电铃工作原理的分析

图 3-17 为电铃结构图，试分析电铃工作原理。

2. 电磁继电器触点的类别和接触电阻的检测

用万用表测量触点的接触电阻，可以判断该触点是否良好。用万用表的 $R×1$ 档，先测量常闭触点间的电阻，该阻值应为零。然后再测量常开触点之间的电阻，该阻值应为无穷大。接着，用手按下衔铁，这时常开触点闭合，而常闭触点打开，检查继电器的触点在吸合情况下是否连通，如果显示值为无穷大，则

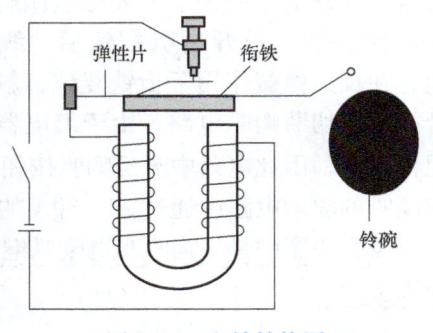

图 3-17　电铃结构图

继电器已失效。如果连通性好,则继电器是好的。测量结果填入表3-3。

表3-3 电磁继电器触点的检测

序号	型号	常开触点间阻值	常闭触点间阻值	按下衔铁	
				常闭触点是否变打开	常开触点是否变闭合
1					
2					
3					

3. 继电器线圈电阻的测量

打开继电器盖,用万用表欧姆档测量继电器线圈电阻,万用表指示应基本符合继电器标称的直流电阻值。喇叭电路如图3-18所示,将继电器的 A、C 两点接好后,按下喇叭按钮,注意观察触点动作,用万用表电压档测量继电器触点 B 与搭铁间的电压。

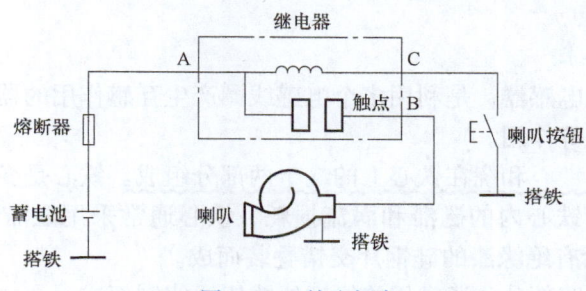

图3-18 喇叭电路

 **项目评价标准**

电磁继电器的检测项目评价标准见表3-4。

表3-4 电磁继电器的检测项目评价标准

序号	考核内容	评分标准	分数分配	得分
1	电铃工作原理的分析	工作原理分析不完整,扣5~20分	20分	
2	继电器检测	1. 万用表使用不正确,扣10分 2. 不会判断触点类别,每个扣5分 3. 测量结果不正确,每个扣5分	70分	
3	安全文明生产	1. 违反安全操作规定,扣3~5分 2. 工具摆放不整齐,卫生不好,扣3~5分	10分	

 **项目实训报告**

1)设计封面,包括项目名称、班级、姓名、指导老师、时间等。

2)实训报告内容包括项目器材、内容、步骤、填写好的各记录表格,写出测量心得体会和测量过程中的注意事项。

项目 3.3 变 压 器

变压器

项目相关知识

变压器是根据电磁感应原理制成的一种静止电气设备，它能将某一电压值的交流电变换成同频率的所需电压值的交流电。

变压器是变换电压、电流和阻抗的器件，它是利用两组或两组以上的绕组，彼此间感应电压、电流来达到升压或降压的目的。

一、变压器的基本结构和工作原理

尽管变压器的种类较多，但其基本结构和工作原理是相同的，都是通过电磁感应来传递能量或信号的。

1. 变压器的基本结构

变压器实质上就是电感器，是利用多个电感线圈产生互感作用的器件，在电路中起着变压、耦合、匹配、选频等作用。

一般变压器主要由铁心和绕在铁心上的绕组两部分组成。铁心是变压器的磁路部分，为了提高导磁性能，减少铁心内的磁滞和涡流损耗，铁心通常采用磁滞损耗很小的、厚度为 0.35~0.5mm 且表面涂有绝缘漆的硅钢片交错叠装而成。

绕组是变压器的电路部分，通常用绝缘铜线或铝线绕制而成。与电源相接的称为一次绕组；与负载相接的绕组称为二次绕组。根据两侧绕组匝数的不同，也可将匝数多的称为高压绕组，匝数少的称为低压绕组，为了降低绕组和铁心间的绝缘要求，一般高压绕组同心地套在低压绕组的外面。

按绕组与铁心的安装位置，变压器可分为壳式和心式两种。变压器的结构形式如图 3-19 所示，壳式变压器的铁心包围着绕组，这种变压器机械强度好，铁心容易散热，但外侧绕组用的铜量较多，小型变压器多采用壳式结构；心式变压器绕组包围着铁心，这种变压器结构较简单，多用于容量较大的电力变压器。

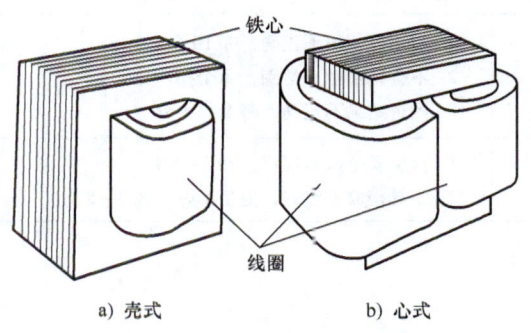

图 3-19 变压器的结构形式

2. 变压器的工作原理

变压器的工作原理如图 3-20 所示，变压器一次、二次绕组的匝数分别为 N_1 和 N_2，当

一次绕组接上交流电压时，一次绕组中就会有交流电流通过并在铁心中产生交变的磁通。这个交变磁通不仅通过一次绕组，而且也通过二次绕组，并在两绕组中分别产生感应电动势。如果在二次绕组中接有负载，那么二次绕组中就有电流通过，二次绕组也产生磁通。因此，铁心中的磁通是一个由一次、二次绕组的磁通共同产生的合成磁通，合成磁通穿过一次绕组和二次绕组且在其中分别感应出电动势。

在图 3-20 中，电源和负载所存在的两个电路并没有直接连接在一起，能量完全是通过磁场传递的，称之为磁耦合。变压器就是通过电磁之间的相互转换达到能量传输的目的，变压器在传输能量的同时还可以对电压、电流、阻抗进行转换。

图 3-20 变压器的工作原理

二、变压器的作用

1. 变压器的匝数比

当忽略变压器的一次、二次绕组的电阻、漏磁通和铁心的损耗时，变压器就可以称为理想变压器，如图3-21所示，若理想变压器一次绕组的匝数为 N_1，二次绕组的匝数为 N_2，则存在如下关系：

$$\frac{N_1}{N_2} = K$$

式中，K 称为变压器的匝数比，又称为电压比。

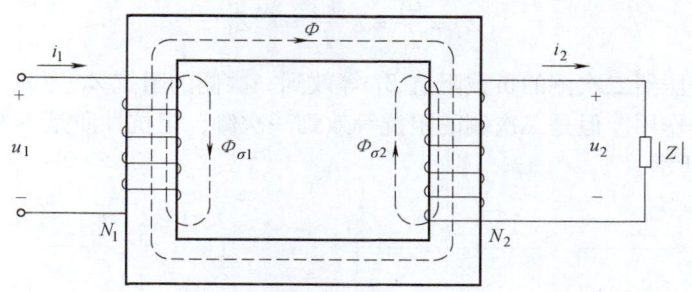

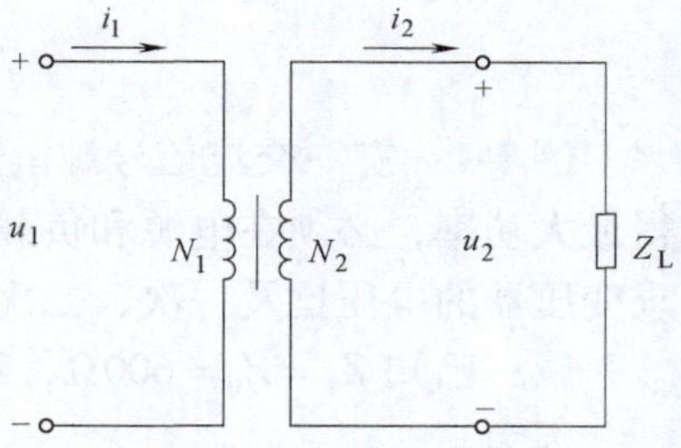

图 3-21 理想变压器

2. 变压器的电压变换关系

图 3-21 中，若一次电压为 U_1，二次电压为 U_2，则有如下关系：

$$\frac{U_1}{U_2} = \frac{N_1}{N_2} = K$$

从上式中可以看出，一次、二次电压之比等于它们的匝数比。当 $K>1$ 时，$U_1>U_2$，二次电压降低，这种变压器称为降压变压器；当 $K<1$ 时，$U_1<U_2$，二次电压升高，这种变压器称为升压变压器。

3. 变压器的电流变换关系

图 3-21 中，变压器带负载运行时，若变压器一次绕组中电流为 I_1，二次绕组中电流为 I_2，根据恒磁通概念，从空载到负载，在电源电压 U_1 不变的情况下，主磁通保持不变，则有如下关系：

$$\frac{I_1}{I_2} \approx \frac{N_2}{N_1} = \frac{1}{K}$$

此公式反映了变压器变换电流的作用，即一次、二次绕组电流之比近似等于匝数的反比，变压器越接近满载运行，其比值关系越精确。

4. 变压器的阻抗变换关系

设在变压器二次绕组接入的阻抗为 Z_L，在数值上有 $Z_L = \frac{U_2}{I_2}$。从一次侧输入端输入阻抗为 Z_1，一次绕组端电压为 U_1，电流为 I_1，则有如下关系：

$$Z_1 = \frac{U_1}{I_1} = K^2 \frac{U_2}{I_2} = K^2 Z_L$$

上式表明，变压器二次侧的负载阻抗 Z_L 等效到一次侧的阻抗 Z_1 为 Z_L 的 K^2 倍，这就是变压器变换阻抗的作用。但是二次侧的阻抗等效到一次侧，阻抗性质是不变的，变压器的阻抗变换如图 3-22 所示。

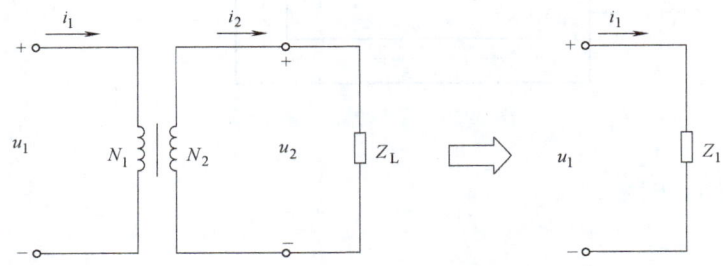

图 3-22　变压器的阻抗变换

例 3-1　有一交流信号源电压 $U = 1\text{V}$，内阻抗 $Z_0 = 600\Omega$，负载 $R_L = 150\Omega$，欲使负载获得最大功率，必须在电源和负载间接一匹配变压器，使变压器的输入阻抗等于电源内阻抗，求变压器的电压比及一次、二次电流各为多少？

解： 已知 $Z_1 = Z_0 = 600\Omega$，$Z_L = 150\Omega$，$U = 1\text{V}$。

因为
$$Z_1 = K^2 Z_L$$

所以
$$K = \sqrt{\frac{Z_1}{Z_L}} = \sqrt{\frac{600}{150}} = 2$$

即电源和负载之间要接一个电压比为 2:1 的变压器，一次、二次电流分别为

$$I_1 = \frac{U}{Z_0 + Z_1} = \frac{1}{600 + 600}\text{A} = 0.83\text{mA}$$

$$I_2 = KI_1 = 2 \times 0.83\text{mA} = 1.66\text{mA}$$

5. 变压器的损耗和效率

变压器在传输能量的过程中会产生损耗，其损耗分为铁损和铜损两大类。变压器铁心中的磁滞损耗和涡流损耗称为铁损。当外加电压固定时，工作磁通也固定，铁损是不变的，也称为固定损耗。变压器绕组有电阻，电流流过绕组时，在绕组上产生的功率损耗称为铜损，铜损的大小随着通过绕组的电流变化而变化，也称为可变损耗。

变压器的输出功率与输入功率之比称为变压器的效率，即

$$\eta = \frac{P_2}{P_1} \times 100\% = \frac{P_2}{P_2 + P_S} \times 100\%$$

式中，P_1、P_2、P_S 分别为变压器的输入功率、输出功率和损耗功率。

同一台变压器在不同负载下的效率也不同，一般在 50%～60% 额定负载时，效率最高。

三、变压器的额定值

变压器在一定的工作条件下能长期稳定运行的容许数值，称为额定值。它们通常标注在变压器的铭牌和说明书上，并用下标"N"表示，如额定电压 U_N、额定电流 I_N 和额定功率 P_N。

1. 额定电压 U_{1N}、U_{2N}

设计时根据变压器的绝缘等级和允许温升所规定的一次绕组应加的电压值，称为一次额定电压 U_{1N}。在一次绕组加上额定电压后，二次绕组空载时的电压值，称为二次额定电压 U_{2N}。对三相变压器，额定电压指线电压。

2. 额定电流 I_{1N}、I_{2N}

在一次绕组额定电压 U_{1N} 的作用下，一次、二次绕组允许长期通过的最大电流值，分别称为一次绕组额定电流 I_{1N} 和二次绕组额定电流 I_{2N}。对三相变压器，额定电流指线电流。

3. 额定容量 S_N

变压器的额定容量 S_N 是指在额定工作情况下，变压器的最大输出能力，以视在功率表示，单位为千伏安。

单相变压器的额定容量为

$$S_N = U_{2N} I_{2N}$$

三相变压器的额定容量为

$$S_N = \sqrt{3}\, U_{2N} I_{2N}$$

4. 额定频率

指变压器运行时允许的外加电源频率。我国电力变压器的额定频率为 50Hz。

四、变压器的性能检测

对变压器的性能检测主要是测量变压器绕组的直流电阻和各绕组之间的绝缘电阻。

检测变压器之前，先了解该变压器的连线结构。在没有电气连接的地方，其电阻值应为无穷大，有电气连接之处，有其规定的直流电阻。由于变压器绕组的直流电阻很小，所以一般用万用表的 $R \times 1\Omega$ 档来测绕组的电阻值，即可判断绕组有无短路和断路现象。

若变压器的绕组匝数不多，则直流电阻很小，在零点几欧姆至几欧姆之间，随变压器规格而异；若变压器绕组匝数较多，直流电阻较大。

电源变压器内部短路可通过空载通电进行检查，方法是切断电源变压器的负载，接通电源，如果通电 15～30min 后温升正常，说明变压器正常；如果空载温升较高（超过正常温升），说明内部存在局部短路现象。

变压器各绕组之间以及绕组与铁心之间的绝缘电阻可用 500V 或 1000V 绝缘电阻表进行测量。根据不同的变压器,选择不同的绝缘电阻。也可用万用表的 $R \times 10k$ 档进行测量,表头指针应指在无穷大位置不动,否则,说明变压器绝缘性能不良。通常各绕组间、各绕组与铁心间的绝缘电阻若有一处低于 $10M\Omega$,就应确认变压器绝缘性能不良。当测得绝缘电阻小于几百欧时,往往表明已经出现组间或铁心与绕组间的短路故障了,这种故障极易造成变压器自身或相关电路元件被烧坏。

五、特殊变压器

1. 自耦变压器

自耦变压器的结构特点是二次绕组是一次绕组的一部分,它们之间不仅有磁的联系,也有电的联系。自耦变压器的工作原理如图 3-23 所示,设一次绕组匝数为 N_1,二次绕组匝数为 N_2,则一次、二次绕组的电压之比和电流之比是

$$\frac{U_1}{U_2} = \frac{I_2}{I_1} = \frac{N_1}{N_2} = K$$

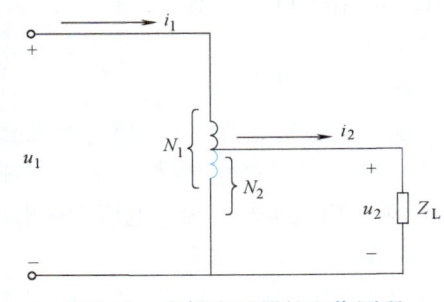

图 3-23 自耦变压器的工作原理

实验室常用的调压器就是一种可以改变二次绕组匝数的自耦变压器。

2. 仪用互感器

在电工测量中,被测量的电量经常是高电压或大电流,为了保证测量者的安全,必须将待测电压或电流按一定比例降低。用于测量的变压器称为互感器,按用途可分为电压互感器和电流互感器。

1) **电压互感器** 电压互感器的一次绕组接待测高压,二次绕组接电压表,二次绕组电压为

$$U_2 = \frac{N_2}{N_1} U_1$$

为了降低电压,需要使 $N_2 < N_1$,通常将电压互感器二次绕组的额定电压设计成标准值 100V。使用电压互感器时,二次绕组不允许短路。

2) **电流互感器** 电流互感器的一次绕组串联在待测电路中,待测电路的电流 I_1 即为一次绕组电流,二次绕组接电流表,通过电流 I_2,其值为

$$I_2 = \frac{N_1}{N_2} I_1$$

为了减小电流,需要使 $N_2 > N_1$,才能使大电流转换成小电流进行测量。通常电流互感器二次绕组额定电流设计成标准值 5A。

使用电流互感器时,二次绕组不允许开路。否则铁心中的磁通将远远超过正常工作时的磁通,铁心中的铁损增大而强烈发热。特别是匝数较多的二次绕组将感应出很高的电压,可能损坏设备并危及测量人员安全。

利用电流互感器原理可以制作便携式钳形电流表,如图 3-24 所示,它的闭合铁心可以张开,将被测载流导线钳入铁心窗口内,这根导线相当于匝数为 1 的电流互感器一次绕组,

铁心上绕有二次绕组，与电流表连接，可直接读出被测电流的数值。使用钳形电流表测量电流时不用断开电路，使用非常方便。

六、点火线圈

汽车上的点火线圈是属于变压器的一种，它是利用电磁感应原理工作的，能将汽车电源系统提供的12V低电压转变成几千伏甚至上万伏的高电压，产生电火花，通过安装在发动机气缸内的火花塞对可燃混合气进行点火。

点火线圈按磁路的结构形式不同，可分为开磁路点火线圈和闭磁路点火线圈两种。开磁路点火圈多用于传统点火系统，闭磁路点火线圈多用于高能电子点火系统。

1. 开磁路点火线圈

开磁路点火线圈结构如图3-25所示，主要由铁心、一次绕组、二次绕组、外壳及附加电阻等组成。点火线圈导磁性良好，为减少涡流损耗，铁心是由相互绝缘的硅钢片叠成，外面套有绝缘的纸板套筒，二次绕组分层绕在套管上。为了加强绝缘和免受伤害，每层高压绕组间都用电缆纸隔开。一次绕组通过的电流大，为方便散热，将其分层绕在二次绕组外面，绕组两端则分别连接在盖子上的低压接线柱上。在一次绕组与外壳之间夹有数层导磁钢套，用以减少磁路磁阻。二次绕组的一端连接在盖子上高压插孔中的弹簧片上，另一端与一次绕组的一端相连。

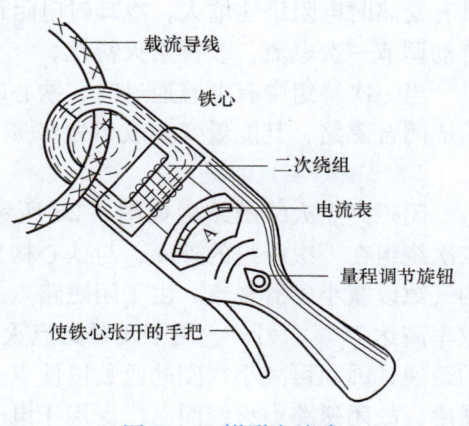

图 3-24 钳形电流表

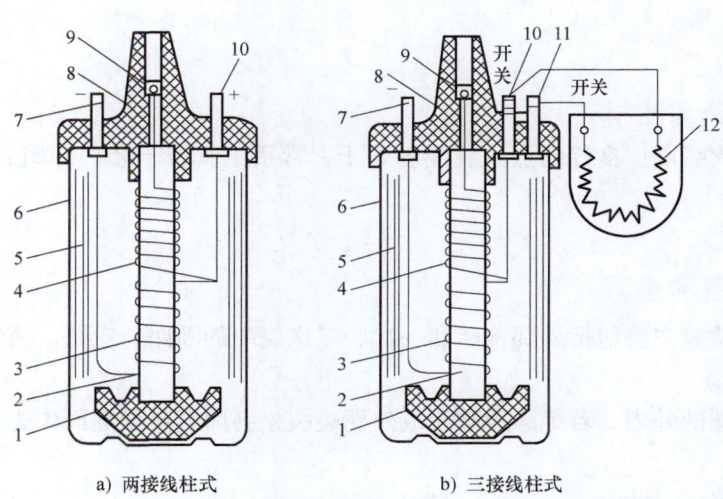

图 3-25 开磁路点火线圈结构
1—瓷杯 2—铁心 3——次绕组 4—二次绕组 5—钢片 6—外壳
7—低压"-"接线柱 8—胶木盖 9—高压接线柱 10—"+"接线柱或开关接线柱
11—低压"+"接线柱 12—附加电阻

点火线圈壳体外部装有附加电阻。附加电阻是用温度系数较大的镍铬丝或低碳钢制成，具有受热时电阻迅速增大,冷却时电阻迅速降低的特性。在发动机工作时,可利用其特点来自动调节一次电流,改善点火特性。

当一次绕组中有电流通过时,铁心磁化,由于磁路的上、下部分从空气中通过,铁心未构成闭合磁路,其能量变换效率为60%,所以称为开磁路点火线圈。

2. 闭磁路点火线圈

闭磁路点火线圈结构如图3-26所示,其铁心多为"曰"字形,铁心内绕有一次绕组,二次绕组在一次绕组的外面,与铁心构成闭合磁路,如图3-27所示,铁心常设有一个微小的气隙以减小磁滞现象。由于闭磁路点火线圈漏磁少,磁路磁阻小,能量损失小,能量变换效率高达75%。另外,由于闭磁路点火线圈导磁能力极强,可在较小的磁通势下产生较强的磁通,因而可减小线圈的匝数以使点火线圈的体积减小,直接装在分电器盖上,结构更为紧凑,故闭磁路点火线圈已广泛用于电子点火系统。

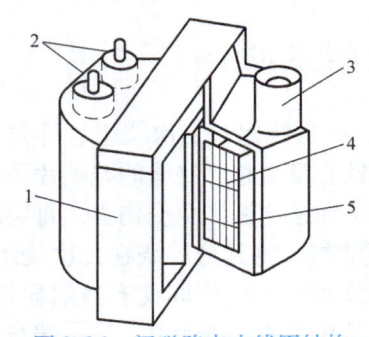

图3-26 闭磁路点火线圈结构
1—"曰"字形铁心 2——次绕组接线柱
3—高压接线柱 4——次绕组 5—二次绕组

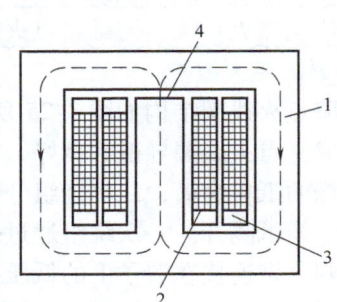

图3-27 闭磁路点火线圈的磁路
1—"曰"字形铁心 2—二次绕组
3——次绕组 4—空气隙

项目设备与器材

被测试的点火线圈、良好的点火线圈各若干,常用工具若干套,万用表,220V交流电试灯。

项目内容和步骤

点火线圈的检验主要包括外部检验和一次、二次绕组的断路、短路、搭铁检验。

1. 外部检验

检查点火线圈的外表,若绝缘盖破裂或外壳碰裂,会因容易受潮而失去点火能力,应予以更换。

2. 一次、二次绕组的断路、短路、搭铁检验

用万用表测量点火线圈的一次、二次绕组以及附加电阻的电阻值,应符合技术标准,否则说明有故障,应予以更换。

(1) 测量电阻法 首先检查一次绕组电阻,用万用表欧姆档测量"+"与"-"端子间的电阻;再检查二次绕组电阻;最后用万用表欧姆档测量"+"与中央高压端子间的电阻。

（2）试灯检验法 将 220V 交流电试灯接在一次绕组的接线柱上，灯亮则表示无断路故障，否则便是断路。当检查绕组是否有搭铁故障时，可将试灯的一端与一次绕组相连，另一端接外壳，如灯亮，便表示有搭铁故障；相反，则无搭铁故障。短路故障用试灯不易查出。

对于二次绕组，因为它的一端接于高压插孔，另一端与一次绕组相连，所以检验中，当试灯的一个触针接高压插孔，另一触针接低压接线柱时，若试灯发出亮光，说明有短路故障；若试灯暗红，说明无短路故障；若试灯根本不发红，则应注意观察，当将触针从接线柱上移开时，看有无火花发生，如没有火花，说明绕组已断路。因为二次绕组和一次绕组是相通的，若二次绕组有搭铁故障，在检查一次绕组时就已反映出来了，无须检查。

项目评价标准

点火线圈的检测项目评价标准见表 3-5。

表 3-5 点火线圈的检测项目评价标准

序号	考核内容	评分标准	分数分配	得分
1	点火线圈的外部检验	1. 检验方法不正确，扣 5 分 2. 检验结果不正确，扣 5 分	10 分	
2	万用表检测一次、二次绕组	1. 万用表使用不正确，扣 10 分 2. 检验方法不正确，扣 10 分 3. 检验结果不正确，扣 10~20 分	40 分	
3	试灯检验法检测一次、二次绕组	1. 万用表使用不正确，扣 10 分 2. 检验方法不正确，扣 10 分 3. 检验结果不正确，扣 10~20 分	40 分	
4	安全文明生产	1. 违反安全操作规定，扣 3~5 分 2. 工具摆放不整齐，卫生不好，扣 3~5 分	10 分	

项目实训报告

1) 设计封面，包括项目名称、班级、姓名、指导老师、时间等。

2) 实训报告内容包括项目器材、内容、步骤。分别写出测量电阻法和试灯检验法进行一次、二次绕组的短路、断路、搭铁检验的操作步骤和注意事项。

小　　结

1. 在高磁导率铁心内，磁通或磁感线基本都被约束在铁心的闭合路径中，这种限定在铁心范围内的磁通路径，称为磁路。各种典型的磁路一般都是由电磁线圈与铁心构成，铁心线圈分直流和交流两种，分别应用在直流电和交流电产生磁场的情况。

2. 铁磁材料具有高导磁性、磁饱和性和磁滞性的特点。根据不同铁磁材料的特点，可把铁磁材料分为软磁材料、硬磁材料和矩磁材料。

3. 电磁铁是利用通电线圈所产生的强磁场来吸引铁磁物质（衔铁）动作的电器。在汽车上的电磁铁都是直流电磁铁，比较典型的应用是汽车电喇叭。

4. 继电器是用较小的电流来控制较大电流的一种自动开关，在电路中起着自动操作、自动调节的作用。在汽车电气系统中使用的继电器体积较小，触点控制的电流也较小，属于小型继电器。

5. 变压器是根据电磁感应原理制成的一种静止电气设备，利用两组或两组以上的绕组，彼此间感应电压、电流来达到变换电压、电流和阻抗的作用。

6. 开磁路点火线圈主要由铁心、一次绕组、二次绕组、外壳及其附加电阻等组成。一次绕组通过的电流较大，导线较粗，二次绕组的导线较细。

习 题

一、填空题

1. 磁力线上每一点的_____方向表示该点的磁场方向。磁力线在每一处的_____程度表示该点的磁场强弱。

2. 磁导率是表示不同材料_____强弱的物理量。铁磁材料具有_____性、_____性和_____性。

3. 涡流损耗会引起铁心_____，减少涡流的方法可用_____作铁心。

4. 变压器在传输能量的过程中会产生损耗，其损耗分为_____损耗和_____损耗两大类。绕组中电流的热效应引起的损耗称为_____损耗，交变磁场在铁心中所引起的磁滞损耗和涡流损耗总称为_____损耗。

5. 继电器是一种用_____电流或低电压去控制_____电流或高电压的自动开关电器，在电路中起着_____、_____、_____等作用。

二、判断题

1. 变压器的一次、二次绕组之间没有电的联系，电能也就无法传递。（   ）
2. 变压器只能传递交流电能，而不能产生电能。（   ）
3. 交流和直流电磁铁的铁心均可用整块软钢制成。（   ）
4. 直流电磁铁的吸力是固定不变的。（   ）
5. 点火线圈的绕组和外壳之间装有钢片，用来紧固部件。（   ）

三、计算与问答题

1. 一理想变压器一次绕组接到110V交流电源上，二次绕组匝数为165匝，输出电压为5.5V，电流为20mA，则一次绕组的匝数是多少？一次绕组中的电流又是多少？

2. 试分析直流电磁铁和交流电磁铁各有什么特点。

3. 交流电磁铁在吸合时，若衔铁长时间被卡住不能吸合，会产生什么影响？

模块 4 二极管

知识目标

要知道：
1) PN 结的单向导电性。
2) 二极管导通和截止的含义。
3) 二极管的种类、特点。
4) 特殊二极管的种类。
5) 三相桥式整流的特点。

要熟悉：
1) 二极管的应用。
2) 特殊二极管的特性。
3) 汽车整流电路。

能力目标

会分析：
汽车三相桥式整流电路。
会检测：
二极管的好坏。
会组装：
汽车三相桥式整流电路。
会使用：
示波器、信号发生器、数字式万用表及模拟电子技术实训装置。

素质目标

1) 通过分析二极管和特殊二极管的特点，引导学生领会共性与个性的关系，培养其哲学智慧。
2) 通过分组讨论和制订方案，培养学生的团队意识和解决问题的能力。
3) 通过二极管的识别与检测，培养学生一丝不苟、严谨细致的规范操作意识、质量意识和职业素养。

项目 4.1 识别与检测二极管

使用与检测二极管

 **项目相关知识**

一、PN 结

1. 半导体与 PN 结

自然界中不同的物质，由于其原子结构不同，导电能力各不相同。根据其导电能力的强弱，可以把物质分为导体、半导体和绝缘体。其中半导体的导电能力介于导体与绝缘体之间，如硅、锗、砷化镓以及一些金属氧化物和硫化物等都属于半导体。

完全纯净的半导体，称为本征半导体。通常情况下，本征半导体的导电能力很弱。如果在本征半导体中掺入微量的杂质，其导电性能会显著增强。按掺入杂质的不同，可得到 P 型和 N 型两种半导体，为了实现半导体器件所要求的各种特性，可以通过一定的生产工艺把一块 P 型半导体和一块 N 型半导体结合在一起，这样在两块半导体交界处就会形成 PN 结。PN 结具有单向导电性，同时，导电能力比本征半导体增强很多。

2. PN 结的单向导电性

当 PN 结加正向电压（也称为正向偏置，简称正偏），即 P 区接电源正极，N 区接电源负极时，如图 4-1a 所示，此时，PN 结的电阻很低，电路中有电流通过，PN 结处于正向导通状态，电灯会亮；当 PN 结加反向电压（也称为反向偏置，简称反偏），即 P 区接电源负极，N 区接电源正极时，如图 4-1b 所示，此时，PN 结的电阻很高，电路中几乎没有电流通过，PN 结处于反向偏置状态，电灯不亮。

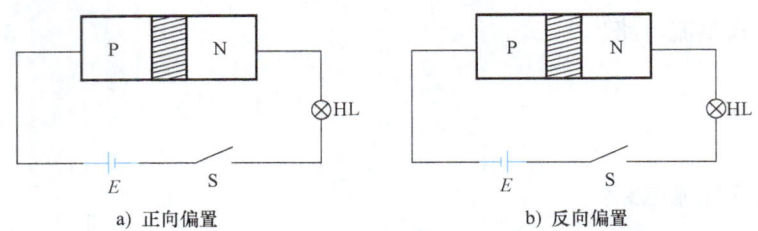

a) 正向偏置　　　　　　　　b) 反向偏置

图 4-1　PN 结的单向导电性

总之，只有在加上正向电压时，PN 结才导通，正向电阻较低，有电流通过；加反向电压时，PN 结截止，反向电阻很高，反向电流非常小。这就是 PN 结的单向导电性。

二、二极管

1. 二极管的结构及图形符号表示

半导体二极管简称二极管，它的结构如图 4-2a 所示。将一个 PN 结加上两根引出线，再用管壳封装起来，就构成了二极管。可见，二极管实质上就是一个 PN 结。通常 P 型半导体一端的引出线称为阳极或正极，N 型半导体一端的引出线称为阴极或负极。它的图形符号如图 4-2b 所示。

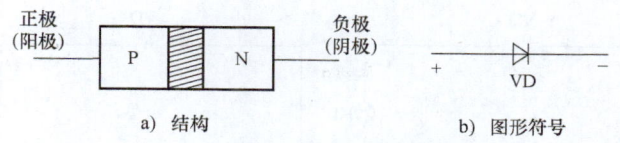

图 4-2 二极管的结构和图形符号

2. 二极管的种类

二极管的分类方法很多，主要有以下几种。

（1）**按材料分类** 二极管按其所用的半导体材料分类，可分为硅二极管、锗二极管、磷化镓二极管、砷化镓二极管等。

（2）**按制造工艺分类** 二极管按制造工艺分类，可分为点接触型二极管和面接触型二极管。点接触型二极管的结电容很小，允许通过的电流也很小，一般在几十毫安以下，适用于检波、变频和高频振荡等场合，国产检波二极管 2AP 系列和开关二极管 2AK 系列都属于这一结构。面接触型二极管的 PN 结面积大，结电容大，允许通过的电流也大，适用于工作频率较低的场合，一般用作整流器件，如汽车上用来整流的国产硅二极管 2CP 和 2CZ 系列都属于这一结构。

（3）**按用途分类** 二极管按用途分类，可分为检波二极管、整流二极管、稳压二极管、发光二极管、光电二极管、开关二极管、磁敏二极管、快恢复二极管、恒流二极管及变容二极管等。

（4）**按工作频率分类** 二极管按工作频率范围分类，可分为高频二极管和低频二极管。

3. 二极管的工作特性

二极管具有单向导电性，即加正向电压时，处于导通状态；加反向电压时，处于截止状态。二极管的外加电压与电流的关系可用伏安特性曲线表示，如图 4-3 所示。二极管工作特性测试电路如图 4-4 所示。

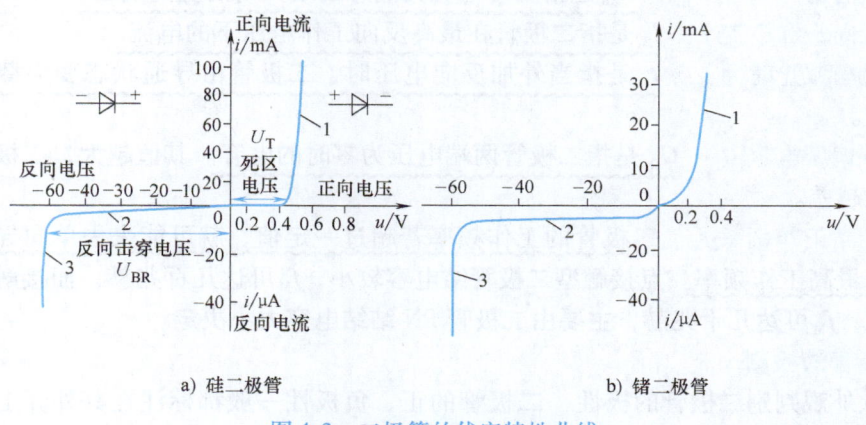

图 4-3 二极管的伏安特性曲线
1—正向特性曲线　2—反向特性曲线　3—反向击穿特性

（1）**正向特性** 二极管加一定的正向电压时，处于导通状态，灯泡亮，表明电路中有较大电流，此时电流称为正向电流。但是当二极管加的正向电压较小时，正向电流几乎为零，这时二极管没有真正导通，这一段所对应的电压称为死区电压或阈值电压，通常硅管的

83

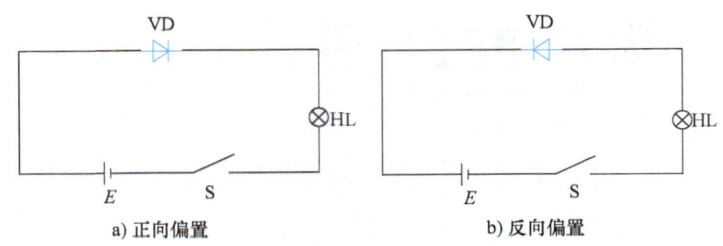

图 4-4 二极管工作特性测试电路

死区电压约为 0.5V,锗管约为 0.2V。当二极管加的正向电压大于死区电压时,正向电流迅速增加,此时二极管才真正导通,二极管两端电压几乎恒定,硅管导通压降为 0.6~0.7V,锗管为 0.2~0.3V。

(2) 反向特性　二极管加反向电压时,处于截止状态,灯泡不亮,表明电路中几乎没有电流,此时电路中很微小的电流称为反向电流。通常情况下,普通硅管为几微安,锗管为几十微安到几百微安。

(3) 反向击穿特性　当反向电压在一定范围时,反向电流非常小,并且随电压增加基本保持不变。当反向电压增加到一定值时,反向电流将急剧增加,称为反向击穿,此时的电压称为反向击穿电压。除稳压二极管外,一般二极管击穿后不能再使用。

4. 二极管的主要参数

(1) 最大整流电流 I_m　I_m 是指二极管长期工作时,允许流过的最大正向平均电流。其值与 PN 结的材料、面积及散热条件有关,在实际使用时,流过二极管的电流不能超过 I_m,否则会因过热而损坏。

(2) 最高反向工作电压 U_R　U_R 为反向峰值电压,是指二极管在使用时,允许外加的最高反向电压,一般取值在反向击穿电压的 1/2~2/3 之间。

(3) 反向击穿电压 U_{BR}　U_{BR} 是指反向电流突然急剧增大时的反向电压。

(4) 反向饱和电流 I_S　I_S 是指二极管在最高反向工作电压下的电流。

(5) 反向截止时间 t_{re}　t_{re} 是指当外加反向电压时,二极管由导通状态变为截止状态所需要的时间。

(6) 零偏压电容 C_D　C_D 是指二极管两端电压为零时的电容。其值越大,二极管的高频单向导电性越差。

(7) 最高工作频率 f_M　二极管的工作频率若超过一定值,就可能失去单向导电性,这一频率称为最高工作频率。点接触型二极管结电容较小,f_M 可达几百兆赫;面接触型二极管结电容较大,f_M 可达几十兆赫,主要由二极管 PN 结结电容大小决定。

5. 二极管的检测

(1) 从外观判别二极管的极性　二极管的正、负极性一般都标注在其外壳上,有时会将二极管的图形直接画在其外壳上。两引脚若是轴向引出,则在二极管外壳上印有标记,有时在负端以色环(点)标志,用以区分正、负极。

(2) 用万用表检测普通二极管的极性　用万用表检测二极管极性是根据二极管正向电阻小、反向电阻大的特点,用万用表的 $R \times 100$ 或 $R \times 1k$ 档测量二极管的正、反向电阻。若两次阻值相差很大,说明该二极管性能良好。并根据测量电阻小的那次的表笔接法,判断出与黑表笔连接的是二极管的正极，与红表笔连接的是二极管的负极。

项目设备与器材
数字式万用表、各种二极管若干、模拟电子技术实训装置、数字示波器、导线若干、电阻若干。

项目内容和步骤
1）根据二极管型号标志，判断二极管类别。
2）用万用表测量二极管的正向电阻和反向电阻，判断二极管性能优劣、是否损坏。
3）如果二极管是完好的，根据二极管测得的正向电阻值和反向电阻值，判断二极管极性。
4）利用模拟电子技术实训装置和示波器，检测二极管的正向特性和反向特性，并画出相应的伏安特性曲线。

项目评价标准
二极管识别与测试项目评价标准见表4-1。

表4-1 二极管识别与测试项目评价标准

序号	考核内容	评分标准	分数分配	得分
1	判断二极管类别	能正确识别二极管型号，每错一处，扣5分	10分	
2	测量正向电阻和反向电阻	会用万用表测量二极管的正向电阻和反向电阻	20分	
3	判断二极管优劣	能根据二极管的正向电阻和反向电阻判断二极管是否损坏和性能优劣	20分	
4	判断二极管极性	能根据二极管的正向电阻和反向电阻判断二极管极性	20分	
5	检测二极管正、反向特性	能根据测量的电压、电流值，画出正确的伏安特性曲线	20分	
6	安全文明生产	遵守安全操作规定，工具、器材排放整齐，卫生好	10分	

项目实训报告
1）设计封面，包括项目名称、班级、姓名、指导教师、时间等。
2）实训报告内容包括项目器材、内容、步骤。
3）测量中要记录测量值、二极管型号类别，画出二极管伏安特性曲线，记录实训过程中出现的问题，总结实训心得体会。

项目 4.2 使用与检测特殊二极管

项目相关知识

一、稳压二极管

1) <u>稳压二极管工作特性</u>。稳压二极管工作于<u>反向击穿区</u>，它是一种经过特殊工艺制造成的面接触型硅二极管，在电路中起稳定电压的作用。

2) <u>稳压二极管的图形符号及伏安特性曲线</u>。如图 4-5 所示，稳压二极管的正向特性曲线与普通硅二极管相似，它的反向击穿特性较陡峭。它通常工作在反向击穿区，当反向电压达到稳定电压 U_Z 时，只要击穿后的反向电流不超过允许范围，稳压二极管就不会发生热击穿损坏，为此必须在电路中串接一个限流电阻。稳压二极管反向击穿后，反向电流在允许范围内变化时，管子两端电压几乎不变，从而可以获得一个稳定的电压。

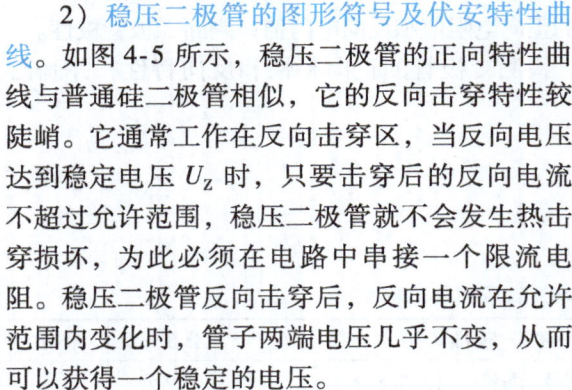

a) 图形符号   b) 伏安特性曲线

图 4-5 稳压二极管的图形符号及伏安特性曲线

3) <u>稳压二极管在汽车中的应用</u>。稳压二极管在汽车中使用时与电阻串联而与仪表并联。如果仪表电压限定在 7V，可选用额定电压为 7V 的稳压二极管，汽车电源电压中的 7V 加在稳压二极管上，另一部分加在电阻上。即使汽车电源电压发生变化，也只是改变加在电阻上的电压，而稳压二极管保持 7V 电压不变。

二、发光二极管

1) <u>发光二极管（LED）外加正向电压时，就会发光</u>。它采用不同的材料，可发出红、黄、绿、蓝色光。发光二极管的伏安特性与普通二极管相似，不过它的导通电压大于 1V，其发光的亮度随流过的正向电流的增大而增强，工作电流为几毫安到几十毫安，较佳工作电流为 15~25mA。为了防止电流过大损坏发光二极管，应该在电路中串接一个 1~1.5kΩ 的电阻。发光二极管的反向击穿电压一般在 5V 左右，使用中不应使其承受超过 5V 的反向电压，否则将会使发光二极管击穿损坏。

2) <u>发光二极管的图形符号</u>如图 4-6 所示。

3) <u>发光二极管应用</u>。发光二极管常用来作为显示器件，除单个使用外，也可制成 7 段数字显示以及矩阵式器件。发光二极管广泛用于信号指示灯、报警信号灯、照明灯、仪器仪表显示器件等。发光二极管在汽车上，目前主要应用于仪表板上的指示信号灯或报警指示灯，随着技术的飞速发展，LED 将在汽车光源系统中广泛应用。

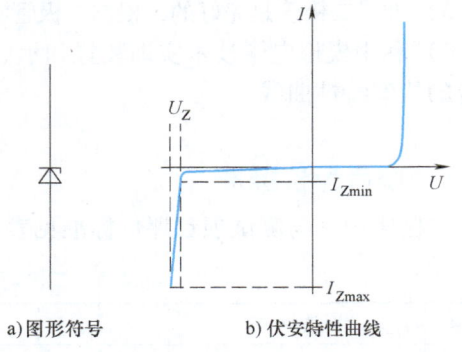

图 4-6 发光二极管的图形符号

三、光电二极管

1）光电二极管是一种将光信号转换为电信号的器件，其基本结构也是一个 PN 结，管壳上有一个窗口，光线可以照射到 PN 结上。光电二极管工作在反偏状态下，当无光照时，与普通二极管一样，反向电流很小，称为暗电流。当有光线照射时，二极管的反向电流随光照度增加而增大，该电流称为光电流。

2）光电二极管的图形符号如图 4-7 所示。

3）光电二极管在汽车中的应用。汽车上的许多传感器都是利用光电二极管制成的，如用于汽车自动空调系统的日照强度传感器、汽车灯光自动控制器等。汽车日照强度传感器可以把太阳的照射情况转换成电流的变化，车内自动控制空调计算机对这种变化进行检测，来调节排风量和排风口温度；光电二极管在汽车灯光自动控制器中，用来检测车辆周围亮暗程度。

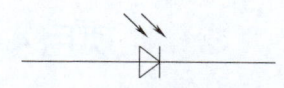

图 4-7　光电二极管的图形符号

项目设备与器材

数字式万用表、发光二极管若干、稳压二极管若干、光电二极管若干、模拟电子技术实训装置、数字示波器、导线若干、电阻若干。

项目内容和步骤

1）根据稳压二极管、发光二极管和光电二极管的型号标志，判断二极管类别。

2）用万用表测量各个二极管的正向电阻和反向电阻，判断二极管是否损坏和性能优劣。

3）利用模拟电子技术实训装置和示波器，检测稳压二极管的正向特性和反向特性，画出其伏安特性曲线。

项目评价标准

使用与检测特殊二极管项目评价标准见表 4-2。

表 4-2　使用与检测特殊二极管项目评价标准

序号	考核内容	评分标准	分数分配	得分
1	判断二极管类别	能根据型号、外形正确识别稳压二极管、发光二极管和光电二极管，每错一个，扣 5 分	30 分	
2	测量正向电阻和反向电阻	会用万用表测量二极管的正向电阻和反向电阻	20 分	
3	判断二极管优劣	能根据二极管的正向电阻和反向电阻判断二极管是否损坏和性能优劣	20 分	
4	检测稳压二极管极性	能根据测量值，判断稳压二极管极性，画出伏安特性曲线	20 分	
5	安全文明生产	遵守安全操作规定，工具、器材排放整齐，卫生好	10 分	

 **项目实训报告**

1)设计封面,包括项目名称、班级、姓名、指导教师、时间等。
2)实训报告内容包括项目器材、内容、步骤。
3)测量中要记录测量值、各种二极管型号类别,画出稳压二极管伏安特性曲线,记录实训过程中出现的问题,总结实训心得体会。

项目 4.3　组装与测试汽车整流电路

 **项目相关知识**

一、汽车三相桥式整流电路组成

汽车三相桥式整流电路由三相绕组和 6 只硅二极管组成,如图 4-8 所示。其中三相绕组是汽车交流发电机的三相定子绕组,6 只二极管分成两组,VD_1、VD_3、VD_5 这 3 只二极管的负极通过元件板连接在一起,如图 4-8 中的 E 点,称为共负极组;VD_2、VD_4、VD_6 这 3 只二极管的正极连接在一起,如图 4-8 中的 F 点,称为共正极组。汽车上的所有用电设备作为负载连接在输出端 E 和 F 之间。

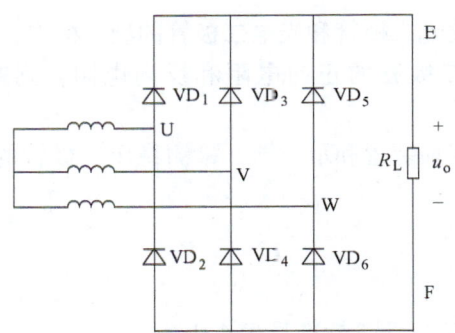

图 4-8　汽车三相桥式整流电路

二、工作过程

在汽车发电机运转过程中的每一个时间区间,总是一相电压最高,一相电压最低,6 只二极管中,始终保持两只导通(共正极组和共负极组各有 1 只),其余 4 只处于截止状态,负载两端得到两相间的线电压。如在 $t_1 \sim t_2$ 时间段内,VD_1 和 VD_5 处于正向电压下而导通;在 $t_2 \sim t_3$ 时间段内,VD_1 和 VD_6 处于正向电压下而导通。三相电压这样依此类推,循环反复,6 只二极管中共正、负极组各有两只轮流导通,在负载上得到一个比较平稳的脉动直流电压。在每个周期内,每只二极管只有 1/3 周期的时间导通,所以流过每只二极管的平均电流仅为负载电流的 1/3。

模块 4　二　极　管

 项目设备与器材

数字式万用表、硅整流二极管 6 只、模拟电子技术实训装置、数字示波器、导线若干、电阻若干。

 项目内容和步骤

1）用万用表测量各个二极管的正向电阻和反向电阻，判断二极管是否损坏、性能优劣。

2）将星形联结的三相绕组、6 只硅二极管与 1 个负载电阻按照整流电路图组装连接。

3）利用模拟电子技术实训装置和示波器，测出负载电压和负载电流，画出输出电压波形。

 项目评价标准

组装与测试汽车整流电路项目评价标准见表 4-3。

表 4-3　组装与测试汽车整流电路项目评价标准

序号	考核内容	评分标准	分数分配	得分
1	检测二极管是否损坏、性能优劣	用万用表测量二极管的正向电阻和反向电阻，根据测量值判断二极管好坏、性能优劣，每错一处，扣 5 分	30 分	
2	组装连接三相桥式整流电路	按电路图组装连接出三相桥式整流电路，每错一处，扣 5 分	50 分	
3	安全文明生产	遵守安全操作规定，工具、器材排放整齐，卫生好	20 分	

 **项目实训报告**

1）设计封面，包括项目名称、班级、姓名、指导教师、时间等。

2）实训报告内容包括项目器材、内容、步骤。

3）测量中要记录测量值、硅二极管型号，画出输出电压波形，记录实训过程中出现的问题，总结实训心得体会。

小　　结

1. 二极管具有单向导电性，由 PN 结、封装及引脚构成。
2. 常用二极管有硅管和锗管。
3. 稳压二极管工作时处于反向击穿状态，必须与限流电阻配合使用。
4. 发光二极管工作在正向导通区，工作时与电阻串联使用。
5. 光电二极管工作在反向截止区。

习　　题

一、填空题

1. 半导体的导电能力介于_____与_____之间，两种典型半导体材料是_____和_____。
2. 二极管具有_____特性，加正向电压时，处于_____状态，呈_____阻性；加反向电压时，处于_____状态，呈_____阻性。
3. 稳压二极管工作在_____状态，发光二极管工作在_____状态。
4. 光电二极管的_____电流随光照强度的增加而上升，即光电二极管工作在_____状态，此时其电流与照度成_____比，可制成大面积的管子，也可当作一种电源，即光电池。

二、选择题

1. 在二极管特性的正向导通区，二极管相当于（　　）。
   A. 电阻　　　　B. 接通的开关　　　　C. 断开的开关　　　　D. 不定
2. 二极管正向导通的条件是其正向电压值（　　）。
   A. 大于0　　　B. 大于0.3V　　　C. 大于0.7V　　　D. 大于死区电压

三、判断题

1. 硅二极管的整流性能比锗二极管的好。　　　　　　　　　　　　　　　　（　　）
2. 二极管的最高反向电压就是该管的反向击穿电压。　　　　　　　　　　　（　　）
3. 用万用表不同的欧姆档测量二极管正、反向电阻，读数是不同的。　　　　（　　）
4. 二极管具有单向导电性。　　　　　　　　　　　　　　　　　　　　　　（　　）

四、分析题

电路如图4-9所示。求图中 VD_1、VD_2 是导通还是截止？截止的二极管承受的反向电压是多少？

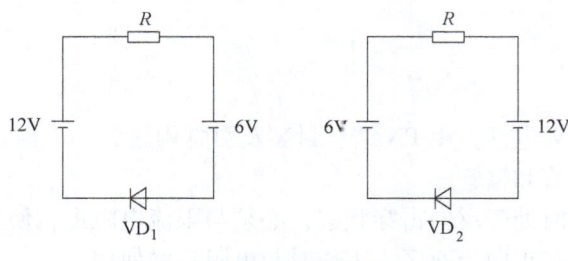

图4-9　分析题图

五、问答题

1. 稳压二极管在正向偏置时是否有稳压作用?
2. 发光二极管工作电流范围是多少?使用时应注意什么?说出你知道的发光二极管的应用场所。

模块 5 晶体管及基本放大电路

知识目标

要知道：
1）晶体管各个极的名称。
2）晶体管结构及符号。
3）晶体管放大电路组成和各元器件的作用。

要熟悉：
1）晶体管三个工作区的特点。
2）晶体管的主要参数。

能力目标

会分析：
晶体管放大电路组成。

会计算：
1）放大电路的输入电阻和输出电阻。
2）放大电路的电压放大倍数。
3）放大电路的静态工作点。

会检测：
晶体管极性。

会组装：
晶体管放大电路。

会使用：
示波器、信号发生器、指针式万用表、数字式万用表及模拟电子技术实训装置。

素质目标

1）通过分析晶体管的电流放大的内部条件和外部条件，理解内因和外因的辩证关系，培养学生的辩证思维和哲学智慧。
2）通过分析晶体管工作特点，引导学生树立正确的世界观、价值观、人生观。

模块 5　晶体管及基本放大电路

项目 5.1　识别与测试晶体管

 **项目相关知识**

识别与测试晶体管

一、晶体管的分类和结构

1. 晶体管的分类

1）按结构分为平面型：硅管；合金型：锗管。
2）按 PN 结的构成方式分为 NPN 型和 PNP 型。
3）按工作频率分为低频管和高频管。
4）按用途分为放大管和开关管。

2. 晶体管结构和电路图形符号

晶体管在结构上的特点有：基区很薄；发射区载流子浓度很高；集电区面积大。晶体管的结构示意图如图 5-1 所示。

晶体管的电路图形符号如图 5-2 所示。

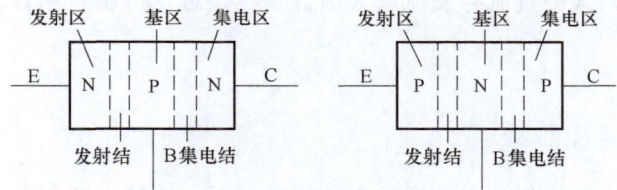

图 5-1　晶体管的结构示意图

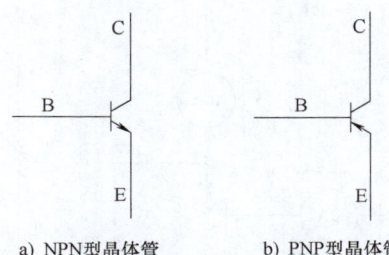

a) NPN 型晶体管　　b) PNP 型晶体管

图 5-2　晶体管的电路图形符号

二、晶体管的电流分配和电流放大原理

为了使晶体管具有电流放大作用，采用了以下制造工艺：基区很薄且掺杂浓度低，发射区掺杂浓度高，集电区面积比发射区大，但掺杂浓度低，因此在使用时晶体管的各个极不能互换。

1. 晶体管的三个区域

晶体管可分为三个区域，分别为 发射区、基区 和 集电区，其作用分别是：

1）发射区：向基区发射载流子。
2）基区：传送和控制载流子。
3）集电区：收集载流子。

2. 电流放大的条件

晶体管的放大是指基极电流微小的变化可以引起集电极电流较大的变化。对于 NPN 型晶体管而言，必须保证集电极电位高于基极电位，基极电位必须高于发射极电位，即 $V_C > V_B > V_E$；PNP 型晶体管则与之相反，即必须保证集电极电位低于基极电位，基极电位必须低于发射极电位，即 $V_C < V_B < V_E$。

1）发射结要正向偏置，以保证发射区的多数载流子能到达基区。
2）集电结要反向偏置，以保证发射到基区的大多数载流子都能传输到集电区。

3. 各电极电流之间的关系

保证晶体管发射结正向偏置、集电结反向偏置，基极电流 I_B、集电极电流 I_C、发射极电流 I_E 符合如下结论：

1）发射极电流等于基极电流和集电极电流之和，即

$$I_E = I_B + I_C$$

2）集电极电流比基极电流大得多，但集电极电流和基极电流的比值大体相等，将该比值称为电流放大倍数，其中直流与交流放大倍数基本接近，可统一用 β 表示：

$$\beta = \frac{\Delta I_C}{\Delta I_B} = \frac{I_C}{I_B}$$

三、晶体管的特性曲线

晶体管的特性曲线是指各电极电流与电压间的关系，实验电路如图 5-3 所示。

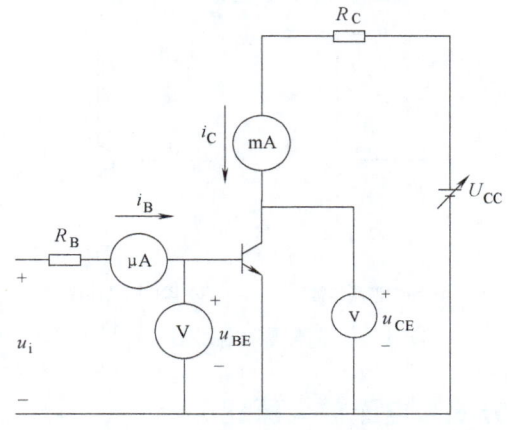

图 5-3　测量晶体管特性的实验电路

1. 输入特性曲线

1）输入特性曲线是指当集电极与发射极之间电压 u_{CE} 为常数时，基极电流 i_B 与加在晶

体管基极和发射极之间的电压 u_{BE} 之间的关系曲线,如图 5-4a 所示。

2) 晶体管输入特性的函数式为

$$i_B = f(u_{BE})|_{u_{CE}=常数}$$

硅管正常工作时管压降 U_{BE} 为 0.6~0.7V,通常取 0.7V;锗管管压降 U_{BE} 为 0.2~0.3V,通常取 0.3V。

2. 输出特性曲线

输出特性曲线是指当基极电流 i_B 为常数时,晶体管的集电极电流 i_C 和集电极-发射极电压 u_{CE} 之间的关系曲线,如图 5-4b 所示。

晶体管输出特性的函数式为

$$i_C = f(u_{CE})|_{i_B=常数}$$

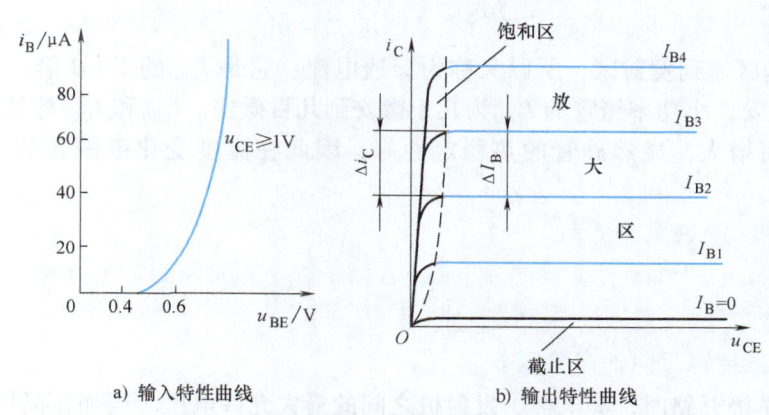

图 5-4 晶体管特性曲线

如图 5-4b 所示,根据晶体管工作状态不同,通常可将输出特性曲线分为放大区、截止区、饱和区三个区域。当发射结和集电结都反向偏置时,晶体管工作在截止区;当发射结正向偏置,而集电结反向偏置时,晶体管工作在放大区;当发射结和集电结都正向偏置时,晶体管工作在饱和区。开关型晶体管工作状态是在截止区和饱和区之间转换。

(1) 放大区 当 $i_B > 0$,且 $u_{CE} > 1V$ 时,输出特性曲线几乎与横轴平行,i_B 等量增加时,曲线等间隔平行上移,这一区域称为放大区。放大区的特点有:

1) 当 i_B = 常数时,晶体管端电压 u_{CE} 增大时,i_C 几乎不变,即具有恒流特性。

2) 当 i_B 变化时,i_C 与 i_B 成正比例变化,即 $i_C = \beta i_B$,晶体管此时具有放大作用。

(2) 截止区 当 $i_B = 0$ 时,$i_C = I_{CEO}$,由于穿透电流 I_{CEO} 很小,输出特性曲线是一条几乎与横轴重合的直线,通常将 $i_B \approx 0$ 的区域称为截止区。在截止区,晶体管的发射结反向偏置或零偏,集电结反向偏置。截止区的特点是 $i_B \approx 0$,$i_C \approx 0$,晶体管失去放大作用而处于截止状态。

(3) 饱和区 当 u_{CE} 较小且小于 u_{BE} 时,晶体管的发射结和集电结都处于正向偏置状态,这一区域称为饱和区。饱和区的特点是:

1) i_C 随 u_{CE} 的增加而上升而与 i_B 不成比例,即 $i_C \neq \beta i_B$。

2) u_{CE} 很小,通常把晶体管工作在饱和区时集电极、发射极之间的压降称为饱和压降,记作 U_{CES},一般小功率硅管的 U_{CES} 约为 0.3V,锗管的 U_{CES} 约为 0.2V。

四、晶体管的主要参数

1. 电流放大倍数 β

由于直流与交流放大倍数基本接近，且基本为常数，可混用不必加以区别，一律用 β 表示。β 是表征晶体管电流放大能力的参数，一般为几十到几百，其中 β 值为 60~100 时晶体管放大电路性能最好。

2. 集电极-基极反向饱和电流 I_{CBO}

I_{CBO} 是指发射极开路，且集电极、基极之间加上一定反向电压时的集电结的反向电流，其值很小。一般小功率硅管的 I_{CBO} 小于 $1\mu A$，锗管的 I_{CBO} 为 $10\mu A$ 左右。

3. 集电极-发射极反向穿透电流 I_{CEO}

I_{CEO} 是指基极开路，且集电极、发射极之间加上一定电压时的集电极电流，由于该电流从集电区穿过基区流到发射区，所以又称为穿透电流。它是 I_{CBO} 的 $1+\beta$ 倍。一般小功率硅管的 I_{CEO} 为几微安，小功率锗管的 I_{CEO} 为几十微安到几百微安。I_{CBO} 和 I_{CEO} 都是越小越好，它们随温度增加而增大，显然硅管的热稳定性好，因此在温度变化范围大的工作环境应选硅管。

4. 集电极最大允许电流 I_{CM}

集电极电流 i_C 过大时，β 值将明显下降。β 值下降至正常值的 2/3 时的 i_C 值，称为集电极最大允许电流 I_{CM}。

5. 集电极-发射极反向击穿电压 $U_{(BR)CEO}$

$U_{(BR)CEO}$ 为基极开路时，集电极、发射极之间的最大允许电压。当加在晶体管的 u_{CE} 值超过 $U_{(BR)CEO}$ 时，i_C 急剧增加，将造成晶体管击穿。为可靠工作，使用时 u_{CE} 值取 $U_{(BR)CEO}$ 的 1/3 或 1/2。

五、晶体管管型和管脚极性的判别

1. 目测法

（1）管型的判别　一般情况下，晶体管的管型是 NPN 型还是 PNP 型，可从管壳上标注的型号来判别。按照国家标准的规定，晶体管型号的第二位字母表示器件的材料和极性，其中 A、C 表示 PNP 型管，B、D 表示 NPN 型管。半导体分立器件型号的组成、符号及意义见附录 A。

此外，国际流行的 9011~9018 系列晶体管，除 9012 和 9015 为 PNP 型管，其余均为 NPN 型管。

（2）管脚极性的判别　常用的小功率晶体管有金属圆壳封装和塑料封装（半圆柱形）等，管脚排列如图 5-5a 所示。大功率晶体管的外形有金属壳封装（扁柱形），管脚排列如图 5-5b 所示，还有塑料封装（扁平、管脚直列）。

对于小功率晶体管管脚排列方式的特点总结如下：

金属圆壳封装：头向下，管脚向上，大开口朝自己，左发射极，右集电极。

塑料半圆柱封装：头向上，平面向自己，左起 E、B、C。

对于大功率管，金属壳扁柱封装按照 5-5b 所示的管脚排列方式判断即可；塑料扁平封

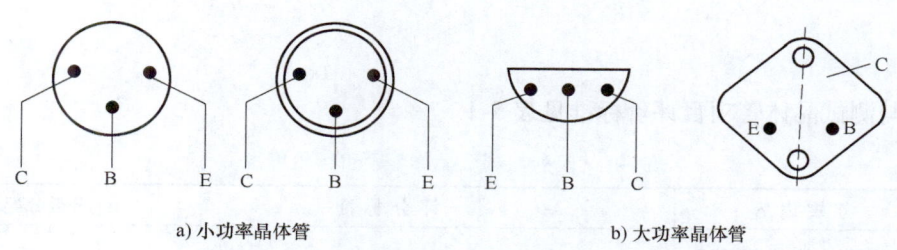

a) 小功率晶体管　　　　　　　　　　b) 大功率晶体管

图 5-5　常用晶体管的管脚排列

装、管脚直列形，没有统一形式，要用万用表检测判别。

2. 用万用表欧姆档判别

利用晶体管内部 PN 结的单向导电性，可用万用表的欧姆档判别晶体管类型和各个电极。其中指针式应用 $R \times 100$ 档或 $R \times 1k$ 档，数字式使用 200k 档。下面以指针式万用表为例进行说明。

（1）**管型和基极的判别**　基极一般为中间的电极（大功率金属壳扁平形封装除外），用万用表测量，用黑表笔接假定的基极，用红表笔分别接触另外两个极。若测得电阻都很小，为几百欧至几千欧，将红黑表笔对调，若测得电阻都很大，为几百千欧以上，则这个晶体管就是 NPN 型管，最初黑表笔接的就是基极。

用黑表笔接假定的基极，用红表笔分别接触另外两个极。若测得电阻都很大，为几百千欧以上，将红黑表笔对调，若测得电阻都很小，为几百欧至几千欧，则这个晶体管就是 PNP 型管，最初黑表笔接的就是基极。

（2）**集电极和发射极的判别**　对于 NPN 型管，确定基极后，用两个表笔分别接触另两个管脚，同时用手指轻触基极，观察万用表指针摆动情况；将两个表笔对调，重复上述过程。指针摆动较大一次的表笔接触位置，黑表笔接的是集电极，红表笔接的是发射极。

对于 PNP 型管，确定基极后，用两个表笔分别接触另两个管脚，同时用手指轻触基极，观察万用表指针摆动情况；将两个表笔对调，重复上述过程。指针摆动较大一次的表笔接触位置，黑表笔接的是发射极，红表笔接的是集电极。

注意：数字式万用表的正极与表内电源正极相连，负极与表内电源负极相连；而指针式万用表的正极与表内电源负极相连，负极与表内正极相连。因此当用数字式万用表检测晶体管时，判别结果正好相反。

项目设备与器材

指针式万用表、数字式万用表、晶体管若干。

项目内容和步骤

1）根据晶体管管脚排列特点目测晶体管的管型和极性。
2）用指针式万用表测试各个晶体管各极间电阻，判断晶体管的类型和极性。
3）用数字式万用表测试各个晶体管各极间电阻，判断晶体管的类型和极性。

项目评价标准

识别与测试晶体管项目评价标准见表 5-1。

表 5-1 识别与测试晶体管项目评价标准

序号	考核内容	评分标准	分数分配	得分
1	目测晶体管管型和极性	目测法判断晶体管管型和极性,每错一个,扣 5 分	30 分	
2	用指针式万用表测量判别晶体管管型和极性	用指针式万用表测量电阻,判断出晶体管的极性,每错一个,扣 5 分	30 分	
3	用数字式万用表测量判别晶体管管型和极性	用数字式万用表测量电阻,判断出晶体管的极性,每错一个,扣 5 分	30 分	
4	安全文明生产	遵守安全操作规定,工具、器材排放整齐,卫生好	10 分	

 **项目实训报告**

1)设计封面,包括项目名称、班级、姓名、指导教师、时间等。
2)实训报告内容包括项目器材、内容、步骤。
3)测量中要记录测量值,记录晶体管管型,记录实训过程中出现的问题,总结实训心得体会。

项目 5.2 组装与测试放大电路

 **项目相关知识**

电压放大电路

一、共发射极晶体管放大电路的组成和作用

1. 放大电路的组成

在放大电路中,晶体管有共发射极、共集电极、共基极三种接法。所谓共发射极电路是指发射极是输入和输出信号的公共端。用符号"⊥"表示输入和输出信号的公共端,也称地端,但其不是真正接地,而是接机壳或接底板。共发射极电路应用最多,其基本放大电路如图 5-6 所示。

2. 放大电路中各元器件的作用

(1) 晶体管 VT 晶体管 VT 是放大电路中的放大器件,起电流放大作用。

(2) 集电极电源 U_{CC} 它不仅为输出信号提供能量,还保证集电结处于反向偏置,以使晶体管起到放大作用,U_{CC} 一般取值为几伏到几十伏。

(3) 集电极电阻 R_C 它的主要作用是将已经放大的集电极电流的变化变换为电压的变化,以实现电压放大,其值一般为几千欧到几十千欧。

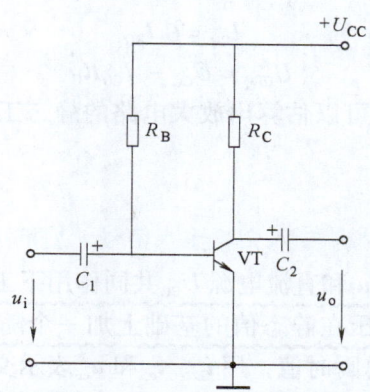

图 5-6 共发射极基本放大电路

（4）**基极电阻 R_B** 它的作用是控制基极电流的大小，使放大电路获得比较合适的工作点，R_B 值一般为几百千欧。

（5）**耦合电容 C_1 和 C_2** 耦合电容 C_1 和 C_2 在电路中起隔断直流信号、传送交流信号的作用。

二、放大电路的工作分析

1. 放大器的静态分析

所谓静态是指当输入信号为零（$u_i=0$）时，放大电路只有直流电源作用，各处的电压和电流都是直流量，称为直流工作状态或静止状态，简称为静态。这时耦合电容 C_1 和 C_2 可视为开路，直流通路如图 5-7a 所示，晶体管各极的直流电流及各极之间的直流电压分别用 I_B、I_C 和 U_{BE}、U_{CE} 表示。

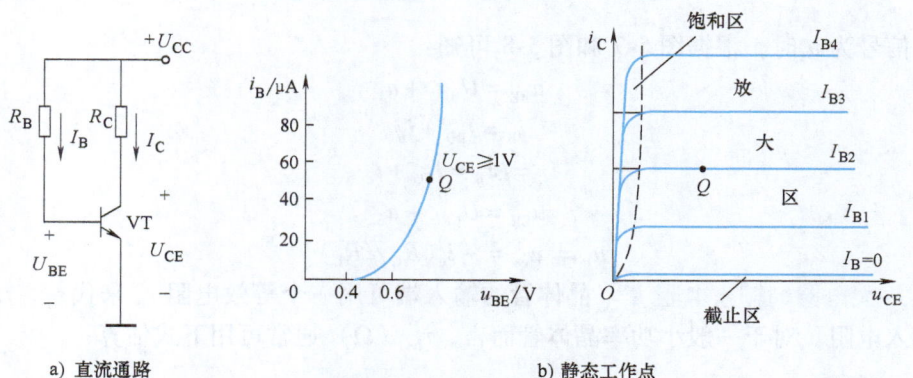

a) 直流通路　　　　　　　　　　　b) 静态工作点

图 5-7 共发射极放大电路的直流通路和静态工作点

为了使放大电路能够正常工作，晶体管需要工作在放大状态，因此要求晶体管必须具有合适的静态工作参数，当电路中 U_{CC}、R_B、R_C 和晶体管 β 值确定后，I_B、I_C 和 U_{CE} 就随之确定。对应这些数值，在晶体管的输入和输出特性曲线上便可确定一个点 Q，这个点即称为<u>放大电路的静态工作点</u>，简称 Q 点。Q 点的电压、电流值分别记作 I_{BQ}、I_{CQ} 和 U_{CEQ}。

$$I_{BQ} = \frac{U_{CC}-U_{BEQ}}{R_B} \tag{5-1}$$

$$I_{CQ} = \beta I_{BQ} \tag{5-2}$$

$$U_{CEQ} = U_{CC} - I_{CQ}R_C \tag{5-3}$$

根据式(5-1)~式(5-3)可以估算出放大电路的静态工作点,在输入、输出特性曲线上的表示如图5-7b所示。

2. 放大电路的动态分析

所谓动态是指放大电路输入端接入交流输入信号u_i后的工作状态。当放大电路处于动态时,放大电路在交流输入信号u_i和直流电源U_{CC}共同作用下工作。电路中既有直流分量,也有交流分量。各极的电流和电压在静态值的基础上加一个随输入信号u_i相应变化的交流分量。分别用i_B、i_C和u_{CE}表示总瞬时值,用i_b、i_c和u_{ce}表示交流分量。交流通路是研究放大电路的动态特性的。画交流通路时将电路中的电容和直流电源视为短路。共发射极放大电路的交流通路如图5-8所示。

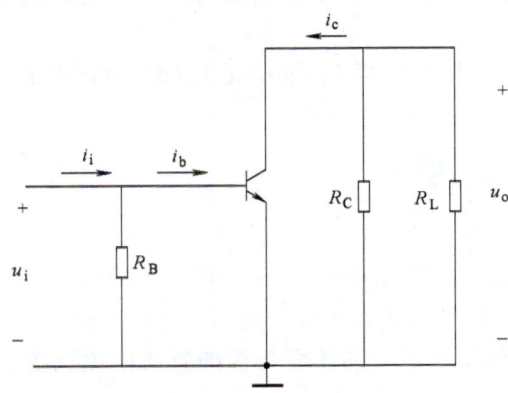

图5-8 共发射极放大电路的交流通路

输入信号为u_i时,根据图5-7和图5-8可知:

$$u_{BE} = U_{BEQ} + u_i$$

$$i_B = I_{BQ} + i_b$$

$$i_C = \beta i_B = I_{CQ} + i_c$$

$$u_{CE} = U_{CEQ} - u_o$$

$$u_o = u_{ce} = -i_c(R_C // R_L)$$

(1) **放大电路的输入电阻R_i** 晶体管的输入端可用一个等效电阻r_{be}来代替,r_{be}称为晶体管的输入电阻。对于一般小功率晶体管而言,r_{be}(Ω)通常可用下式估算:

$$r_{be} = 300\Omega + (1+\beta)\frac{26\text{mV}}{I_{EQ}(\text{mA})} \tag{5-4}$$

根据交流通路可知放大电路的输入电阻为

$$R_i = R_B // r_{be} \tag{5-5}$$

由于R_B远大于r_{be},所以$R_i \approx r_{be}$。

(2) **放大电路的输出电阻R_o** 根据交流通路可推出放大电路的输出电阻R_o为

$$R_o = R_C // R_L \tag{5-6}$$

(3) **电压放大倍数A_u** 电压放大倍数也称电压增益,是用来衡量放大电路放大信号的能力。它表示输出电压与输入电压之比：

$$A_u = \frac{u_o}{u_i} = -\beta \frac{R'_L}{r_{be}} \tag{5-7}$$

式中，$R'_L = \dfrac{R_C R_L}{R_C + R_L}$。

 项目设备与器材

数字式万用表、晶体管若干、模拟电子技术实训装置、数字示波器、导线若干、电容和电阻若干。

 **项目内容和步骤**

1) 组装共发射极放大电路。
2) 用模拟电子技术实训装置测量各个晶体管各极的电流、电压。
3) 计算输入电阻、输出电阻、电压放大倍数。

 项目评价标准

组装与测试放大电路项目评价标准见表 5-2。

表 5-2　组装与测试放大电路项目评价标准

序号	考核内容	评分标准	分数分配	得分
1	组装共发射极放大电路	正确安装电路，每错一个元器件，扣 5 分	40 分	
2	测量晶体管各极电流和电压	用实训装置中的电流表和电压表测量晶体管各极电流和电压，每错一个，扣 5 分	50 分	
3	安全文明生产	遵守安全操作规定，工具、器材排放整齐，卫生好	10 分	

 **项目实训报告**

1) 设计封面，包括项目名称、班级、姓名、指导教师、时间等。
2) 实训报告内容包括项目器材、内容步骤。
3) 要记录测量的电流值和电压值，记录实训过程中出现的问题，总结实训心得体会。

项目 5.3　安装与调试汽车电气线路搭铁探测器

 **项目相关知识**

一、汽车电气线路搭铁探测器组成

在汽车电子电路中，晶体管主要用来对微弱信号进行放大，图 5-9 所示电路就是利用晶体管的放大特性制作的汽车电气线路搭铁（短路）探测器。

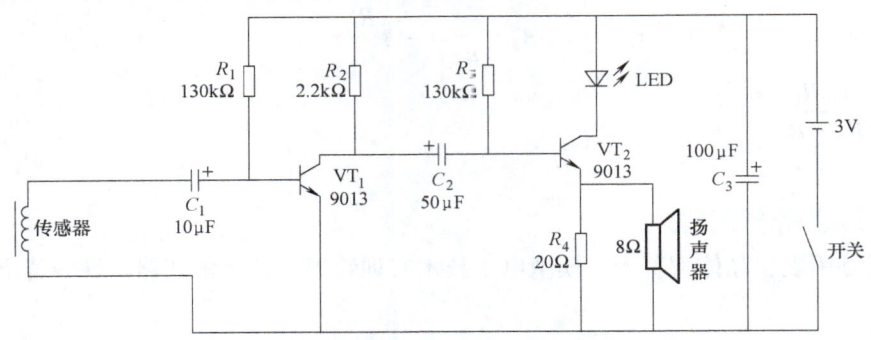

图 5-9　汽车电气线路搭铁（短路）探测器

二、探测器工作过程

汽车在行驶过程中，由于路况凹凸不平等原因，汽车振动较大，电气线束与车体产生摩擦而损坏其绝缘层，从而发生搭铁故障。图 5-9 所示的探测器可以在不拆解导线的情况下，迅速查出搭铁故障所发生的部位。

探测器工作过程如下：当导线搭铁时，在搭铁点会产生短路电流，短路点就会向四周发出高次谐波信号。这个信号被线圈和铁心构成的传感器接收到，在传感器中产生交变的电信号。该电信号幅值很小，经过晶体管 VT_1 放大后，在 VT_1 的集电极上就会得到放大的交变电信号，该信号再输入到 VT_2 的基极进行放大，使接在 VT_2 集电极的发光二极管闪烁发光，同时接在 VT_2 发射极的扬声器也发出声响。传感器越接近故障点，接收到的电信号越强，经过放大后，发光二极管越亮，扬声器发出的声响越大。根据发光二极管亮度变化和扬声器声音变化，就能迅速找到故障点。

目前，在汽车电子电路中，很少用到由一个晶体管组成的单管放大电路，一般采用集成运算放大器构成的电路来对电信号进行放大，集成运算放大器将在模块 6 中学习。

项目设备与器材

晶体管（9013）2 个、发光二极管（红光）1 个、10μF 电容 1 个、50μF 电容 1 个、100μF 电容 1 个、130kΩ 电阻 2 个、2.2kΩ 电阻 1 个、20Ω 电阻 1 个、8Ω 扬声器 1 个、传感器 1 个、开关 1 个、模拟电子技术实训装置、导线若干。

项目内容和步骤

1）组装汽车电气线路搭铁探测器。
2）利用模拟电子技术实训装置，设置故障点，检测工作情况。

项目评价标准

识读与安装汽车电气线路搭铁探测器项目评价标准见表 5-3。

模块 5　晶体管及基本放大电路

表 5-3　识读与安装汽车电气线路搭铁探测器项目评价标准

序号	考核内容	评分标准	分数分配	得分
1	组装电路	正确测试各个元器件，安装每个元器件，每错一个元器件，扣 5 分	50 分	
2	检测电路工作情况	用模拟电子技术实训装置检测电路	40 分	
3	安全文明生产	遵守安全操作规定，工具、器材排放整齐，卫生好	10 分	

 **项目实训报告**

1）设计封面，包括项目名称、班级、姓名、指导教师、时间等。
2）实训报告内容包括项目器材、内容、步骤。
3）测量中要记录测量值，记录各个元器件型号，记录实训过程中出现的问题，总结实训心得体会。

小　　结

1. 晶体管具有电流放大作用，是一种电流控制器件，可分为 NPN 型和 PNP 型两种，由三个区、两个 PN 结及三个管脚组成。

2. 晶体管有截止、放大、饱和三种工作状态。截止区发射结反偏、集电结反偏，$i_B \approx 0$，$i_C \approx 0$；放大区是发射结正偏、集电结反偏，$i_C = \beta i_B$，与 U_{CE} 几乎无关；饱和区是发射结正偏、集电结正偏，$i_C \neq \beta i_B$，U_{CE} 很小。

3. 晶体管主要参数有：反向饱和电流、反向穿透电流、电流放大系数、最大集电极电流、最大耗散功率等。温度升高，反向饱和电流增加，反向击穿电压下降，电流放大系数 β 值增大。选用晶体管时应尽量选择 β 值在几十到一百、反向饱和电流尽量小的晶体管。

4. 放大电路的静态工作点，由于受温度、电源电压波动及晶体管老化等因素的影响而发生漂移，其中受温度影响最大。

5. 在汽车电子电路中，晶体管应用十分普遍。晶体管放大电路经常用在汽车监测设备上，它作为电子开关，是汽车点火电路和电子调压电路的重要部件。

习　　题

一、填空题

1. 晶体管当作在放大状态时，发射结加_____电压，集电结加_____电压。
2. 晶体管的三个电极分别为_____极、_____极、_____极。

二、选择题

1. 晶体管当作开关使用时，工作在（   ）。
   A. 放大区   B. 饱和区
   C. 截止区   D. 饱和区或截止区
2. NPN 型晶体管处于放大状态时，各电极电位关系是（   ）。
   A. $V_C > V_E > V_B$ B. $V_C > V_B > V_E$
   C. $V_C < V_E < V_B$ D. $V_C < V_B < V_E$
3. 晶体管集电极电流大于它的最大允许电流 I_{CM} 时，该管（   ）。
   A. 放大能力降低   B. 必定过热至烧毁
   C. 仍能正常工作   D. 被击穿
4. 用万用表测处于放大状态的一只 NPN 型晶体管，测得 1、2、3 电极对地电位分别为 $V_1 = 2V$，$V_2 = 6V$，$V_3 = 2.7V$，则 1、2、3 电极的名称分别是（   ）。
   A. C、B、E   B. E、C、B
   C. B、E、C   D. 不确定
5. 晶体管电压放大器设置静态工作点的目的是（   ）。
   A. 减小静态损耗   B. 使放大电路不失真地放大
   C. 增大 β 值   D. 提高输出电阻
6. 为了使晶体管工作在饱和区，必须保证发射结、集电结（   ）。
   A. 都正偏   B. 反偏、正偏
   C. 正偏、零偏   D. 都反偏
7. 为使处于饱和状态的晶体管进入放大状态，可采用的方法是（   ）。
   A. 减小 I_B B. 减小 R_C
   C. 提高直流电压 U_{CC} 的绝对值   D. 加大电压放大倍数

三、判断题

1. 两个二极管反向连接起来可作为晶体管使用。（   ）
2. 晶体管电流放大系数 β 值越大越好。（   ）
3. 晶体管发射结正向偏置时，晶体管导通。（   ）
4. 静态工作点偏高容易产生截止失真。（   ）
5. 偏置电阻是影响静态工作点的重要因素，但不是唯一因素。（   ）
6. 放大电路的静态是指输入交流信号幅值不变时的电路状态。（   ）
7. 放大器的静态工作点一经设定后，不会受外界因素的影响。（   ）

四、计算题

如图 5-10 所示，$R_C = 3k\Omega$，$\beta = 40$，$R_L = 6k\Omega$，$r_{be} = 0.8k\Omega$，求电压放大倍数 A_u。

五、问答题

1. 晶体管的电流放大倍数是否越大越好？为什么？

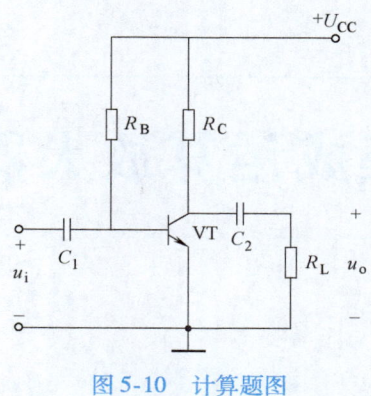

图 5-10　计算题图

2. 晶体管主要有哪些参数？

模块 6 集成运算放大器

知识目标

要知道：
1）理想集成运算放大器符号。
2）反相放大器结构。
3）同相放大器结构。
4）差分放大器结构。
5）汽车传感器结构。

要熟悉：
1）汽车氧传感器的工作过程。
2）理想集成运算放大器的特点。
3）电压比较器的特点。

能力目标

会分析：
1）反相放大器电路。
2）同相放大器电路。
3）差分放大器电路。
4）蓄电池电压过低报警电路。

会画出：
运算放大器符号。

会计算：
放大器的放大倍数。

会组装：
汽车蓄电池电压过低报警电路。

会使用：
数字示波器、模拟电子技术实训装置、电压比较器、发光二极管。

素质目标

1）在学习集成运算放大器的结构组成与种类的过程中，融入部分与整体的辩证关系原理，增强学生的集体意识。

2）在学习集成运算放大器的性能指标分析的过程中，结合案例引导学生用联系的观点看问题，树立全局观和局部观的辩证思维，培养学生良好的职业素养与职业精神。

项目 6.1　检测集成运算放大器

项目相关知识

集成运算放大器及应用

一、集成运算放大器

集成运算放大器简称集成运放，是将分立元器件的多级放大器集成在一块芯片内，具有通用性的功能部件。在生产和生活中，可以利用集成运算放大器设计出各种功能的电路。

1. 集成运算放大器的符号

集成运算放大器的符号如图 6-1 所示。它有两个输入端和一个输出端。两个输入端中，一个是反相输入端，标有"−"符号，表示输出电压 u_o 与该输入电压 u_- 相位相反；另外一个是同相输入端，标有"+"符号，表示输出电压 u_o 与该输入电压 u_+ 相位相同。

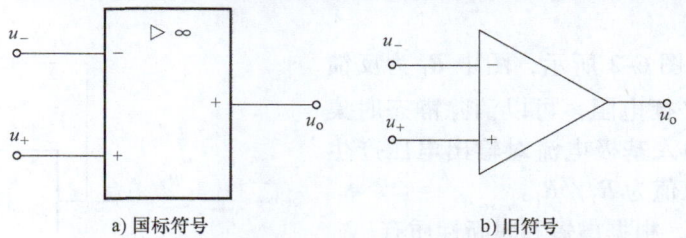

a) 国标符号　　　　　　　　b) 旧符号

图 6-1　集成运算放大器的符号

2. 集成运算放大器的主要性能指标

要合理选择和正确使用集成运算放大器，就必须熟悉其性能。衡量集成运算放大器性能优劣的主要依据是它的各种参数。集成运算放大器的主要性能指标如下：

（1）开环差模电压放大倍数　开环差模电压放大倍数（A_{od}）是集成运算放大器在开环（没有反馈电路）时的输出电压与输入差模信号（有效输入信号）电压之比。

（2）共模抑制比　共模抑制比（K_{CMR}）是全面衡量差动放大电路的重要指标。共模抑制比越大，说明电路对差模信号的放大能力越强，对零点漂移等共模信号的抑制能力也越强。

（3）输入电阻和输出电阻　输入电阻 R_i 是集成运算放大器两输入端的动态电阻。输出电阻 R_o 是集成运算放大器开环工作时，从输出端向里看进去的等效电阻。输出电阻 R_o 越小，集成运算放大器带负载能力越强。

3. 理想集成运算放大器应满足的各项性能指标

理想集成运算放大器应满足以下各项性能指标：

1) 开环电压放大倍数 $A_{od} \to \infty$。
2) 输入电阻 $R_i \to \infty$。
3) 输出电阻 $R_o \to 0$。
4) 共模抑制比 $K_{CMR} \to \infty$。

4. 理想集成运算放大器的特性

理想集成运算放大器工作的线性区很小，在低频信号工作时可认为工作在线性区域。此时放大器具有以下两个特性。

（1）虚短　由于理想集成运算放大器的开环电压增益趋于无穷大，当其输出电压为有限值时，集成运算放大器的输入电压趋于零，即

$$u_+ = u_- \tag{6-1}$$

因此，集成运算放大器同相输入端与反相输入端可视为短路。

（2）虚断　因为理想集成运算放大器的输入电阻趋于无穷大，所以其输入端相当于开路，即

$$i_+ = i_- = 0 \tag{6-2}$$

利用以上两个特性，可以非常方便地分析各种集成运算放大器的线性应用电路。应该注意，虚短不是两个输入端真正短路，虚断也不是输入端真正开路。

二、几种基本放大器电路

1. 反相放大器

反相放大器如图 6-2 所示，图中 R_f 为反馈电阻，R_2 为直流平衡电阻，可以消除静态时集成运算放大器内输入基极电流对输出电压产生的影响。R_2 一般取值为 $R_1 /\!/ R_f$。

如图 6-2 所示，根据虚短和虚断性质有

$$i_i = i_f$$
$$u_+ = u_- = 0$$

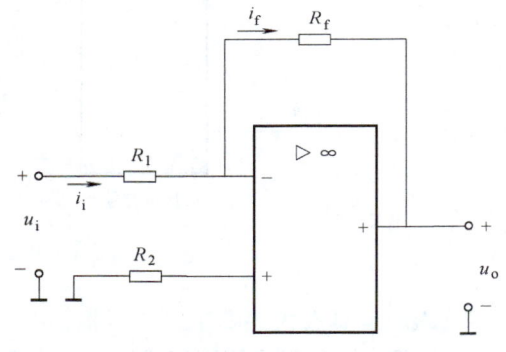

图 6-2　反相放大器

则有

$$i_i = \frac{u_i - u_-}{R_1} = \frac{u_i}{R_1}$$

$$i_f = \frac{u_- - u_o}{R_f} = -\frac{u_o}{R_f}$$

闭环电压放大倍数为

$$A_{uf} = \frac{u_o}{u_i} = -\frac{R_f}{R_1} \tag{6-3}$$

2. 同相放大器

同相放大器如图 6-3 所示。
根据虚短和虚断性质有

$$u_- = \frac{R_1}{R_1 + R_f} u_c = u_i$$

$$A_{uf} = \frac{u_o}{u_i} = 1 + \frac{R_f}{R_1}$$

3. 差分放大器

差分放大器如图 6-4 所示。

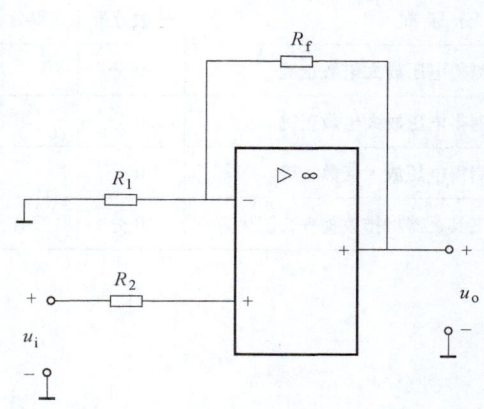

图 6-3　同相放大器

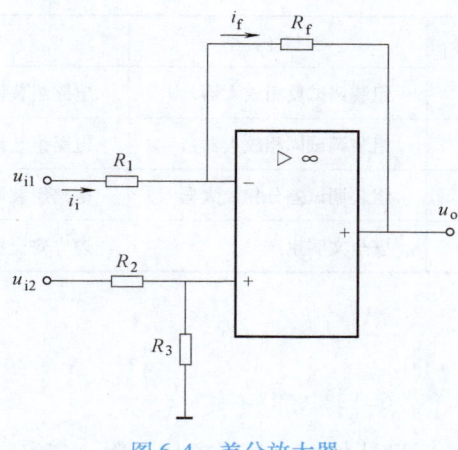

图 6-4　差分放大器

根据虚短和虚断性质有

$$i_i = i_f$$

$$u_- = u_+ = u_{i2} \frac{R_3}{R_2 + R_3}$$

$$i_i = \frac{u_{i1} - u_-}{R_1}$$

$$i_f = \frac{u_- - u_o}{R_f}$$

若取 $R_1 = R_2$，$R_3 = R_f$，经推导可得

$$u_o = \frac{R_f}{R_1}(u_{i2} - u_{i1}) \tag{6-4}$$

可见输出电压与两输入电压之差成比例，故称为差分放大器，其差模放大倍数只与电阻 R_1 和 R_f 的取值有关。

项目设备与器材

数字式万用表、晶体管若干、模拟电子技术实训装置、导线若干、集成运算放大器若干、电阻若干。

项目内容和步骤

1）利用模拟电子技术实训装置，组装调试反相放大器电路，测电压放大倍数。
2）利用模拟电子技术实训装置，组装调试同相放大器电路，测电压放大倍数。
3）利用模拟电子技术实训装置，组装调试差分放大器电路，测电压放大倍数。

项目评价标准

检测集成运算放大器项目评价标准见表 6-1。

表 6-1 检测集成运算放大器项目评价标准

序号	考核内容	评分标准	分数分配	得分
1	组装调试反相放大器	电路组装调试正确，测得电压放大倍数正确	30 分	
2	组装调试同相放大器	电路组装调试正确，测得电压放大倍数正确	30 分	
3	组装调试差分相放大器	电路组装调试正确，测得电压放大倍数正确	30 分	
4	安全文明生产	遵守安全操作规定，工具、器材排放整齐，卫生好	10 分	

 **项目实训报告**

1）设计封面，包括项目名称、班级、姓名、指导教师、时间等。
2）实训报告内容包括项目器材、内容、步骤。
3）测量中要记录测量值、集成运算放大器型号，画出伏安特性曲线，记录实训过程中出现的问题，总结实训心得体会。

项目 6.2 使用与测试电压比较器

 **项目相关知识**

一、电压比较器

电压比较器是一种特殊的集成运算放大器，它是能够对两个输入电压进行比较的一种集成运算放大器。它的两个输入电压中，一个是基准电压，另一个是被比较的输入电压，当两个电压不相等时，电压比较器输出的电压不是等于正电源电压值就是等于零。

二、几种典型的电压比较器

在汽车电子电路中，常用的电压比较器主要有 LM741、LM324、LM339 等。

1. LM741

LM741 是双电源单集成运算放大器，其引脚排列如图 6-5 所示。

LM741 是双列直插式封装，共 8 个引脚，可用作放大器也可以用作电压比较器。7 脚接正电源；4 脚接负

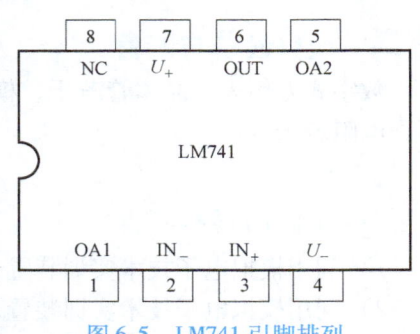

图 6-5 LM741 引脚排列

电源，在汽车放大器或电压比较器中，直接连在搭铁点处；2 脚是反相输入端；3 脚是同相输入端；6 脚是输出端；1 脚和 5 脚是指放大交流信号时电路调零端，在汽车电子电路中不用；8 脚是空脚。

2. LM324

LM324 是双电源四集成运算放大器，其引脚排列如图 6-6 所示。

LM324 是双列直插式封装，共 14 个引脚，可用作放大器也可以用作电压比较器，其内部是四个独立的运算放大器。11 脚接负电源，4 脚接正电源，在汽车电子电路中用作比较器时，4 脚直接连在搭铁点处。

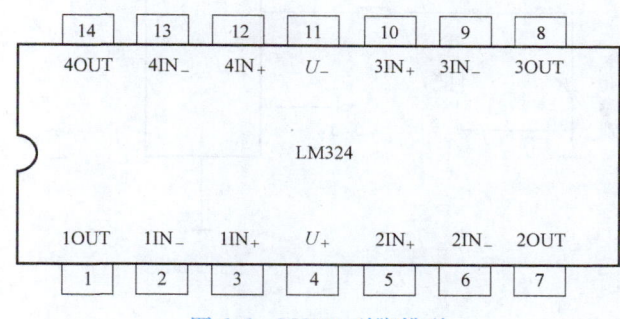

图 6-6　LM324 引脚排列

3. LM339

LM339 是单电源四比较器，其引脚排列如图 6-7 所示。

LM339 是双列直插式封装，共 14 个引脚。它只能用作电压比较器，而且只需接单电源。3 脚接正电源，12 脚搭铁。四个比较器可以单独使用。

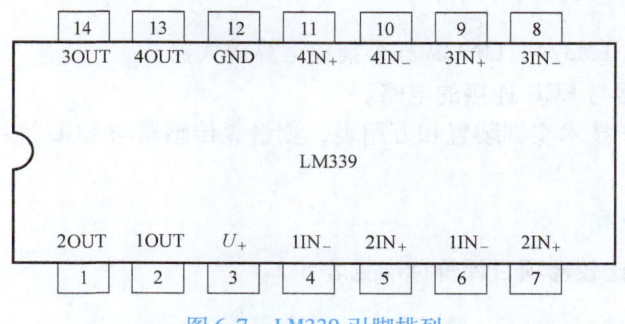

图 6-7　LM339 引脚排列

三、电压比较器在汽车电子电路中的应用

电压比较器在汽车电子电路中应用非常广泛，如氧传感器与 ECU 连接电路，其电路如图 6-8 所示。

在电喷发动机控制系统中，氧传感器承担着向 ECU 传递发动机是否工作在理论空燃比附近的任务。在浓混合气燃烧时，排气中的氧消耗殆尽，氧传感器几乎不产生电压；在稀混合气燃烧时，排气中还有一部分氧气，氧传感器产生 1V 左右的电压。汽车电控系统根据氧传感器的输出信号对喷油量进行修正。控制系统规定，当氧传感器输出电压大于

0.45V 时，认为混合气过稀；输出电压小于 0.45V 时，认为混合气过浓。氧传感器与 ECU 之间就是通过电压比较器进行信号传递的。ECU 设定 0.45V 为基准电压，当氧传感器产生的信号电压大于基准电压时，比较器输出 $u_o \approx 0V$，ECU 判断混合气过稀，增加喷油量；当氧传感器产生的信号电压小于基准电压时，比较器输出 $u_o \approx 5V$，ECU 判断混合气过浓，减少喷油量。

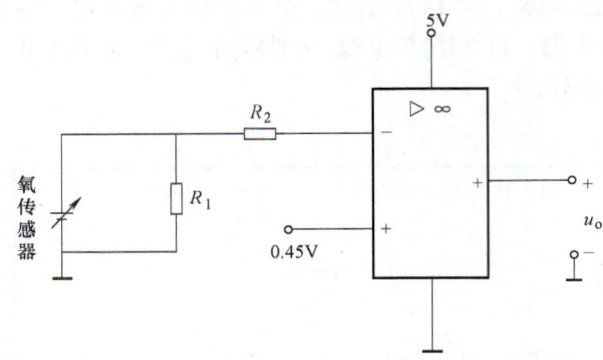

图 6-8　氧传感器与 ECU 的连接电路

项目设备与器材

数字式万用表，氧传感器，模拟电子技术实训装置，LM741、LM324、LM339 各若干，导线若干，电阻若干。

项目内容和步骤

1) 检测 LM741、LM324、LM339 三个集成运算放大器。
2) 组装氧传感器与 ECU 连接的电路。
3) 利用模拟电子技术实训装置和万用表，测量氧传感器与 ECU 连接电路的输出电压。

项目评价标准

使用与测试电压比较器项目评价标准见表 6-2。

表 6-2　使用与测试电压比较器项目评价标准

序号	考核内容	评分标准	分数分配	得分
1	检测 LM741、LM324、LM339 三个集成运算放大器	连线正确，步骤恰当	30 分	
2	组装氧传感器与 ECU 的连接电路	正确连接电路	40 分	
3	测量输出电压	万用表正确测量电路的输出电压	20 分	
4	安全文明生产	遵守安全操作规定，工具、器材排放整齐，卫生好	10 分	

 **项目实训报告**

1)设计封面,包括项目名称、班级、姓名、指导教师、时间等。
2)实训报告内容包括项目器材、内容、步骤。
3)测量中要记录测量值、集成运算放大器的型号,记录实训过程中出现的问题,总结实训心得体会。

项目 6.3 组装与检测汽车蓄电池电压过低报警电路

 **项目相关知识**

一、汽车蓄电池电压过低报警电路

汽车蓄电池电压过低报警电路由集成运算放大器(LM741)、稳压二极管、发光二极管及一些电阻组成。其电路如图 6-9 所示。

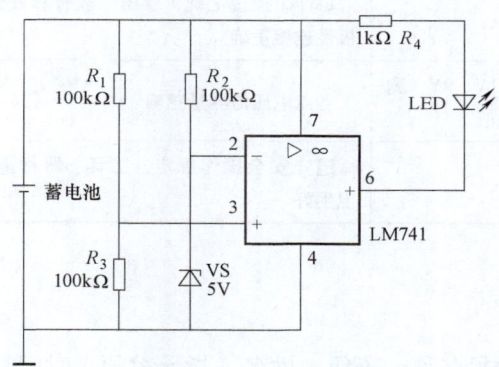

图 6-9 汽车蓄电池电压过低报警电路

二、工作过程分析

当汽车蓄电池电压大于 10V 时,LM741 的同相输入端 u_+ 大于 5V,由于反相输入端等于 5V,此时 LM741 的输出端电压为大于 10V 的蓄电池电压值,因而,LED 处于反偏状态,红灯不亮。当汽车蓄电池电压小于 10V 时,LM741 的同相输入端 u_+ 小于 5V,由于反相输入端等于 5V,此时 LM741 的输出端电压为 0V,因而,LED 处于正向导通状态,红灯亮,提示汽车蓄电池电压过低,需要到专业维护场所进行处理。

 项目设备与器材

数字万用表 1 个、LM741 1 个、发光二极管(红光)1 个、100kΩ 电阻 3 个、1kΩ 电阻 1 个、稳压二极管 1 个(5V)、数字电子技术实训装置、导线若干。

项目内容和步骤

1）根据图 6-9 组装电路。

2）把数字式万用表拨到直流电压档 20V，把替代蓄电池的电源输出电压调节到 12V，观察发光二极管是否发光，把万用表的低压端放在芯片的引脚 4 上，另一端分别与芯片的引脚 2、3、6 和 7 相连，记录得到的电压值。

3）把电源电压调节到 11V，观察发光二极管是否发光，把万用表的低压端放在芯片的引脚 4 上，另一端分别与芯片的引脚 2、3、6 和 7 相连，记录得到的电压值。

4）把电源电压调节到 9V，观察发光二极管是否发光，把万用表的低压端放在芯片的引脚 4 上，另一端分别与芯片的引脚 2、3、6 和 7 相连，记录得到的电压值。

 项目评价标准

组装与检测蓄电池电压过低报警电路项目评价标准见表 6-3。

表 6-3　组装与检测蓄电池电压过低报警电路项目评价标准

序号	考核内容	评分标准	分数分配	得分
1	组装电路	LM741 插接正确，稳压二极管和发光二极管极性连接正确	40 分	
2	电源电压调到 12V、11V、9V，测量引脚 2、3、6、7 电压值	各点电压值测量正确	50 分	
3	安全文明生产	遵守安全操作规定，工具、器材排放整齐，卫生好	10 分	

 **项目实训报告**

1）设计封面，包括项目名称、班级、姓名、指导教师、时间等。

2）实训报告内容包括项目器材、内容、步骤。

3）测量中要记录测量值、稳压二极管型号、集成运算放大器型号以及发光二极管型号，记录实训过程中出现的问题，总结实训心得体会。

小　　结

1. 集成运算放大器具有电压放大倍数高、输入电阻大、输出电阻小的特点，其性能优良、可靠性高、重量轻、价格低，使用方便。

2. 虚短是指在理想情况下，两个输入端的电位相等，好像两个输入端短接在一起，但实际上并没有短接。

虚断是指在理想情况下，流入输入端电流为零，好像两个输入端之间开路，但实际上并没有开路。

3. 电压比较器是工作在非线性区的、特殊的集成运算放大器，它在汽车电子电路中有着广泛的应用。

4. 集成运算放大器在汽车电子电路中应用非常普遍,特别是在汽车各部位传感器信号检测电路中发挥重要作用,如汽车氧传感器电路、汽车进气压力传感器电路等。

习　　题

一、填空题

1. 理想运算放大器工作在线性区时的输入电流为＿＿＿＿。
2. 理想运算放大器的输入电阻为＿＿＿＿,输出电阻为＿＿＿＿,开环电压放大倍数为＿＿＿＿。

二、判断题

1. 同相放大器的输入电流几乎为零。　　　　　　　　　　　　　（　　）
2. 通常运算放大器的输入电阻都很小。　　　　　　　　　　　　（　　）
3. 反相放大器的输入电流基本上等于流过反馈电阻的电流。　　　（　　）
4. 电压比较器是一种特殊的集成运算放大器。　　　　　　　　　（　　）

三、计算题

1. 如图 6-10 所示,$R_1 = 10\text{k}\Omega$,$R_2 = 5\text{k}\Omega$,$R_f = 50\text{k}\Omega$。求:(1) A_{uf}。(2) $u_i = -1\text{V}$,$u_o = ?$
2. 如图 6-11 所示,设 $R_1 = R_2 = R_3 = 10\text{k}\Omega$,$R_f = 50\text{k}\Omega$,$u_{i1} = 0.5\text{V}$,$u_{i2} = -1\text{V}$,$u_{i3} = -0.8\text{V}$,试计算 u_o。

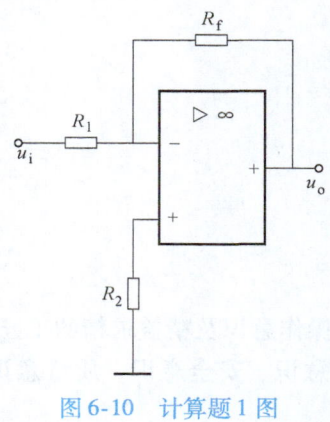

图 6-10　计算题 1 图

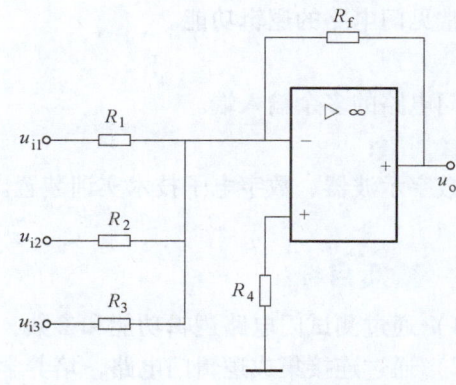

图 6-11　计算题 2 图

四、问答题

1. 理想集成运算放大器的主要性能指标有哪些?
2. 集成运算放大器的虚短和虚断是真正短路和开路吗?其实质是什么?

模块 7　门　电　路

知识目标

要知道：
1）与、或、非三种基本逻辑关系的定义。
2）TTL 集成逻辑门的使用要求。
3）CMOS 集成逻辑门的使用要求。

要熟悉：
常见的逻辑与、或、非、与非、或非、与或非、异或、同或等逻辑关系表达式、真值表、逻辑规律。

能力目标

会画出：
1）常见门电路的逻辑符号。
2）门电路的输入、输出对应波形。

会测试：
常见门电路的逻辑功能。

会处理：
门电路的多余输入端。

会使用：
数字示波器、数字电子技术实训装置。

素质目标

1）通过测试门电路逻辑功能和参数，强化学生规范操作意识及精益求精的工匠精神。
2）通过连接集成逻辑门电路，培养学生将规范操作意识、安全意识、质量意识融于实际操作中。

项目 7.1 测试与门、或门和非门

项目相关知识

在自然界中,事物的条件与结果之间存在着逻辑关系,基本的逻辑关系有三种:与逻辑、或逻辑、非逻辑。复杂逻辑关系都可以用这三种基本逻辑关系来表示。

三种基本逻辑关系

一、与逻辑和与门

1. 与逻辑

所谓与逻辑关系,就是指决定某事件结果的所有条件全部具备,结果才能发生,而只要其中一个条件不具备,结果就不能发生,这种因果关系称为与逻辑关系。

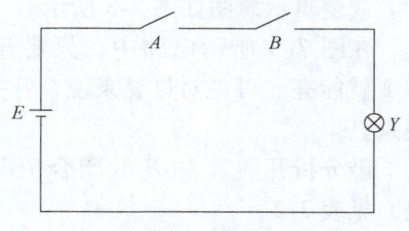

图 7-1 与逻辑示意图

与逻辑示意图如图 7-1 所示:用 A、B 表示条件,即开关的状态;用 Y 表示结果,即灯的亮、灭状态。

在图 7-1 所示电路中,只有当开关 A、B 全部闭合时,灯 Y 才能亮。可见对灯亮来说,开关 A 和 B 的闭合是与逻辑关系。

根据所有可能的开关组合状态与灯亮、灭的对应关系,可以列出与逻辑真值表,见表 7-1。

开关:"1"表示开关闭合,"0"表示开关断开。

灯:"1"表示灯亮,"0"表示灯灭。

表 7-1 与逻辑真值表

A	B	Y
0	0	0
0	1	0
1	0	0
1	1	1

由表 7-1 可以得出与逻辑关系为"有 0 出 0,全 1 出 1"。

与逻辑表达式:$Y = A \cdot B$,其中 $A \cdot B$ 读作 A 与 B,也可以读作 A 乘 B。中间的"·"可以省略,写成 $Y = AB$。

2. 与门

与门是实现与逻辑关系的电路,其逻辑符号与工作波形如图 7-2 所示。

二、或逻辑和或门

1. 或逻辑

所谓或逻辑关系,就是指在 A、B 等多个条件中,只要具备其中一个条件,事件就会发

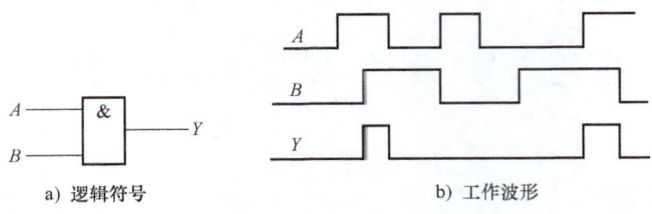

图 7-2 与门逻辑符号与工作波形

生；只有所有条件均不具备时，事件才不会发生，这种因果关系称为或逻辑关系。

或逻辑示意图如图 7-3 所示。

在图 7-3 所示电路中，只要开关 A、B 其中一个闭合，灯 Y 就能亮。可见对灯亮来说，开关 A 和 B 的闭合是或逻辑关系。

经分析开关 A 和 B 的闭合情况，可以列出或逻辑真值表，见表 7-2。

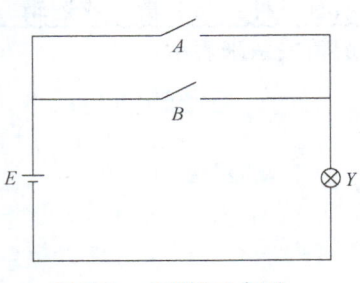

图 7-3 或逻辑示意图

表 7-2 或逻辑真值表

A	B	Y
0	0	0
0	1	1
1	0	1
1	1	1

由表 7-2 可以得知，或逻辑功能为"有 1 出 1，全 0 出 0"。

或逻辑表达式：$Y = A + B$。其中，$A + B$ 读作 A 或 B，也可以读作 A 加 B，中间的" + "不能省略。

2. 或门

或门是实现或逻辑关系的电路，其逻辑符号及工作波形如图 7-4 所示。

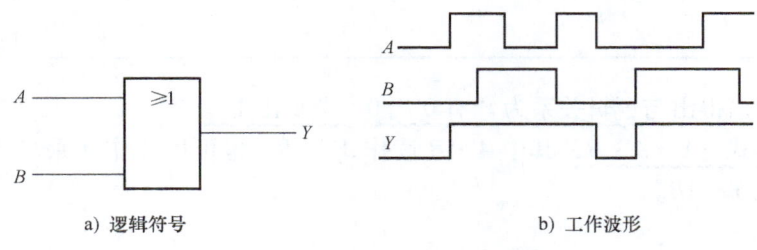

图 7-4 或门逻辑符号及工作波形

三、非逻辑与非门

1. 非逻辑

所谓非逻辑关系，就是指决定事件结果只有一个条件，当条件具备时，结果就不发生；

当条件不具备时，结果就发生，这种因果关系称为非逻辑关系。

非逻辑示意图如图 7-5 所示。当开关 A 闭合时，灯 Y 灭；当开关 A 断开时，灯 Y 亮。可见，对灯亮来说，开关 A 的闭合是非逻辑关系。

经分析可以列出非逻辑真值表，见表 7-3。

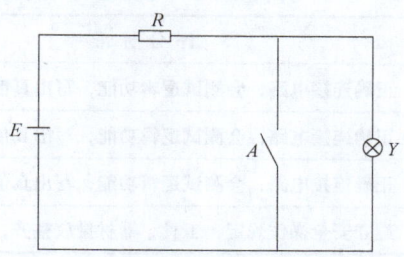

图 7-5　非逻辑示意图

表 7-3　非逻辑真值表

A	Y
0	1
1	0

由非逻辑真值表可以得知，非逻辑功能为"是 0 出 1，是 1 出 0"。

非逻辑表达式：$Y=\overline{A}$。其中，$\overline{A}$ 读作 A 非，或者 A 反。

2. 非门

非门是实现非逻辑关系的电路，其逻辑符号及工作波形如图 7-6 所示。

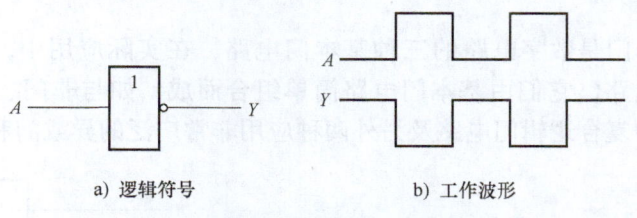

a) 逻辑符号　　　　　　　b) 工作波形

图 7-6　非门逻辑符号及工作波形

项目设备与器材

数字电子技术实训装置、导线若干、四 2 输入与门（74LS08）、三 3 输入与门（74LS11）、四 2 输入或门（74LS32）、六非门（74LS04）若干。

项目内容和步骤

1）连接与门电路，测试与门逻辑功能。
2）连接或门电路，测试或门逻辑功能。
3）连接非门电路，测试非门逻辑功能。

项目评价标准

测试与门、或门、非门项目评价标准见表 7-4。

表 7-4 测试与门、或门、非门项目评价标准

序号	考核内容	评分标准	分数分配	得分
1	与门电路连接与测试	正确连接电路，会测试逻辑功能，写出真值表	30 分	
2	或门电路连接与测试	正确连接电路，会测试逻辑功能，写出真值表	30 分	
3	非门电路连接与测试	正确连接电路，会测试逻辑功能，写出真值表	30 分	
4	安全文明生产	遵守安全操作规定，工具、器材排放整齐，卫生好	10 分	

 **项目实训报告**

1）设计封面，包括项目名称、班级、姓名、指导教师、时间等。

2）实训报告内容包括项目器材、内容、步骤。

3）测量中要记录门电路型号，写出与门、或门、非门的真值表，记录实训过程中出现的问题，总结实训心得体会。

项目 7.2 测试复合逻辑门

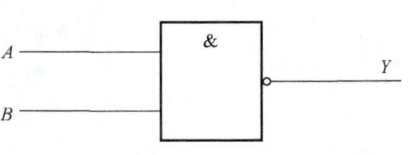

复合逻辑关系及门电路

 **项目相关知识**

与门、或门、非门是数字电路的三种基本门电路，在实际应用中，还需要一些复合逻辑电路，它们由基本门电路简单组合而成，如与非门、或非门、与或非门等。下面讨论这三种复合逻辑门电路及另外两种应用非常广泛的异或门和同或门。

一、与非门

与非门的逻辑符号如图 7-7 所示。

与非门电路是将与门的输出信号作为非门的输入信号，即在与门的基础上对它的结果取非，就是与非门的输出结果。与非门真值表见表 7-5。

图 7-7 与非门逻辑符号

表 7-5 与非门真值表

A	B	Y
0	0	1
0	1	1
1	0	1
1	1	0

由与非门真值表（表 7-5）可见，与非门的输入中有一个或多个 0，其输出为 1，只有全部输入都为 1 时，其输出才为 0。它的逻辑关系可简述为"有 0 出 1，全 1 出 0"。

与非门的逻辑表达式为

$$Y = \overline{AB}$$

二、或非门

或非门逻辑符号如图 7-8 所示。

或非门是将或门的输出信号作为非门的输入信号，即在或门的基础上对它的结果取非，来作为或非门的输出结果。或非门真值表见表 7-6。

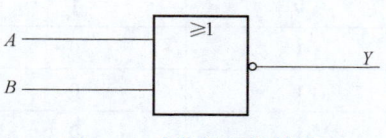

图 7-8　或非门逻辑符号

表 7-6　或非门真值表

A	B	Y
0	0	1
0	1	0
1	0	0
1	1	0

由或非门真值表（表 7-6）可见，或非门的输入中有一个或多个 1，其输出为 0，只有全部输入都为 0 时，其输出才为 1。它的逻辑关系可简述为"有 1 出 0，全 0 出 1"。

或非门的逻辑表达式为

$$Y = \overline{A + B}$$

三、与或非门

与或非门的逻辑符号如图 7-9 所示。

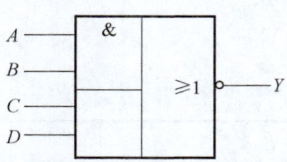

图 7-9　与或非门逻辑符号

与或非门的真值表见表 7-7。

表 7-7　与或非门真值表

A	B	C	D	Y
0	0	0	0	1
0	0	0	1	1
0	0	1	0	1
0	0	1	1	0

（续）

A	B	C	D	Y
0	1	0	0	1
0	1	0	1	1
0	1	1	0	1
0	1	1	1	0
1	0	0	0	1
1	0	0	1	1
1	0	1	0	1
1	0	1	1	0
1	1	0	0	0
1	1	0	1	0
1	1	1	0	0
1	1	1	1	0

由与或非门的真值表（表7-7）可知，只要其中一个与门的两个输入信号全部为1，与或非门的输出就为0；当两个与门的输入信号中分别至少有一个为0时，两个与门都输出0，则与或非门的输出为1。

与或非门的逻辑表达式为

$$Y = \overline{AB + CD}$$

四、异或门与同或门

异或门与同或门是重要的复合门电路，应用极其广泛。

1. 异或门

异或门的逻辑符号如图7-10所示。

异或门真值表见表7-8。

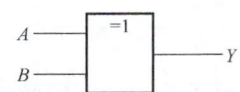

图7-10 异或门逻辑符号

表7-8 异或门真值表

A	B	Y
0	0	0
0	1	1
1	0	1
1	1	0

由异或门真值表（表7-8）可知，异或门的逻辑功能是：当输入信号A、B相同时，其输出为0；当输入信号A、B相异时，其输出为1。这种输入、输出的逻辑关系称为异或逻辑关系。

异或门的逻辑表达式为

$$Y = A\overline{B} + \overline{A}B = A \oplus B$$

2. 同或门

同或门的逻辑符号如图 7-11 所示。
同或门真值表见表 7-9。

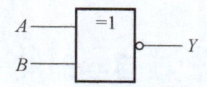

图 7-11　同或门逻辑符号

表 7-9　同或门真值表

A	B	Y
0	0	1
0	1	0
1	0	0
1	1	1

由同或门真值表（表 7-9）可知，同或门的逻辑功能是：当输入信号 A、B 相同时，其输出为 1；当输入信号 A、B 相异时，其输出为 0。这种输入、输出的逻辑关系称为同或逻辑关系。可见，同或是异或的非逻辑，因此同或门又称为异或非门。

同或门逻辑表达式为

$$Y = \overline{A}\,\overline{B} + AB = A \odot B$$

项目设备与器材

数字电子技术实训装置，导线若干，四 2 输入与非门（74LS00）、四 2 输入或非门（74LS02）、四 2 输入异或门（74LS86）若干。

项目内容和步骤

1）连接与非门电路，测试与非门逻辑功能。
2）连接或非门电路，测试或非门逻辑功能。
3）连接异或门电路，测试异或门逻辑功能。

项目评价标准

测试复合逻辑门项目评价标准见表 7-10。

表 7-10　测试复合逻辑门项目评价标准

序号	考核内容	评分标准	分数分配	得分
1	与非门电路连接与测试	正确连接电路，会测试逻辑功能，写出真值表	30 分	
2	或非门电路连接与测试	正确连接电路，会测试逻辑功能，写出真值表	30 分	
3	异或门电路连接与测试	正确连接电路，会测试逻辑功能，写出真值表	30 分	
4	安全文明生产	遵守安全操作规定，工具、器材排放整齐，卫生好	10 分	

项目实训报告

1) 设计封面,包括项目名称、班级、姓名、指导教师、时间等。
2) 实训报告内容包括项目器材、内容、步骤。
3) 测量中要记录测量值,记录本项目所用与非门、或非门、异或门型号,写出对应真值表,记录实训过程中出现的问题,总结实训心得体会。

项目 7.3 使用集成逻辑门

项目相关知识

一、TTL 集成逻辑门

TTL集成逻辑门

TTL 集成逻辑门是采用半导体材料制成的,其制造工艺成熟,品种全,价格便宜,工作速度快,存放运输方便,使用简单可靠,抗干扰能力强,受周围电磁场的影响小,功耗较低,因此其应用极其广泛。目前 TTL 集成逻辑门有以下几种:

74 系列,又称为标准 TTL 系列,是 TTL 集成逻辑门的最早产品,属于中速 TTL 集成逻辑门。

74H 系列,又称为 HTTL 系列,是 74 系列的改进型产品,提高了工作速度和负载能力,但其功耗增加了。

74L 系列,又称为 LTTL 系列,属于低功耗产品,但其工作速度慢。

74S 系列,又称为 STTL 系列,属于高速肖特基系列,其功耗较大。

74LS 系列,又称为 LSTTL 系列,属于低功耗肖特基系列,既有较高的工作速度,又有较低的平均功耗,是目前最主要的产品系列。

74AS 系列,又称为 ASTTL 系列,是 74S 系列的后继产品,速度和功耗均有改进。

74ALS 系列,又称为 ALSTTL 系列,是 74LS 系列的后继产品,属于先进低功耗肖特基系列。

74F 系列,又称为 FTTL 系列,其速度和功耗介于 74AS 和 74ALS 系列之间,广泛应用于速度要求较高的 TTL 逻辑电路。

在数字集成逻辑门中,如果器件型号后面几位数字相同,表示它们的逻辑功能、外形尺寸、外引线排列都相同,如 7408、74LS08、74HC08 等都是四 2 输入与门,外引线都是 14 根,外引线排列顺序相同。

在实际使用中,选择集成逻辑门要考虑两个原则:①综合考虑电路需要、性能参数及价格等方面因素,决定选用哪类集成逻辑门,选用同一类型的产品可以避免电路接口及电源不匹配的问题。②54/74LS 系列集成逻辑门可以与具有相同逻辑功能的 HCMOS 集成逻辑门直接互换使用。TTL 型集成逻辑门的使用要求如下。

1. 对电源的要求

1) 接插集成逻辑门时,要认清定位标记,不得插反。

2）54 系列为（1±5%）×5V，74 系列为（1±10%）×5V，实验中要求使用 U_{CC} =5V。电源绝对不允许接错。否则，会损坏器件或使其工作出现异常现象。

3）保证有良好的接地。

4）工作在高速状态时，集成逻辑门电源与地之间，应接 0.01μF 的高频滤波电容，电源输入端接 20~50μF 的低频滤波电容，以消除电源线上的噪声干扰。

2. 对输入端连接的要求

1）输入端不能与高于 5.5V、低于 -0.5V 的低阻电源连接，否则会产生较大电流而烧坏器件。

2）闲置输入端的处理方法如下。

与门、与非门多余输入端的处理：①悬空，相当于正逻辑"1"，对一般小规模电路的输入端，实验时允许悬空处理，但是输入端悬空，易受外界干扰，破坏电路逻辑功能。对于中规模以上电路或较复杂的电路，输入端不允许悬空。②直接接入 U_{CC}，或串入一个适当阻值电阻（1~10kΩ）接入 U_{CC}。③若前级驱动能力允许，可以与有用的输入端并联使用。

或门、或非门多余输入端的处理：接低电平或接地。

3. 对输出端连接的要求

1）输出端不允许直接与 5V 电源或接地端相连接，否则将导致器件损坏。

2）输出高电平时，输出端不能碰地；输出为低电平时，输出端不能碰电源。

3）除 OC 门和三态门器件外，不允许几个 TTL 集成逻辑门输出端并联使用，否则，不仅会使电路逻辑功能混乱，还会导致器件损坏。

4）输出端接容性负载时，必须在输出端与电容之间串接限流电阻。

4. 注意事项

1）使用电烙铁一般不要超过 25W，使用中性焊剂，焊点要小、要圆，谨防桥接，以防短路。

2）调试时，输入的高电平不小于 2.4V，输入的低电平不大于 0.8V。

3）焊接后严禁将电路连同印制电路板放入有机溶液浸泡清洗，只允许用少量酒精轻微擦洗引脚上的焊剂。

二、CMOS 集成逻辑门

CMOS集成逻辑门

MOS 集成逻辑门是由 MOS 场效应晶体管组成的数字集成逻辑门。MOS 管通常由金属、氧化物和半导体组成，它是电压控制型器件。MOS 集成逻辑门的制作工艺简单，成本低，输入阻抗极高，功耗低，集成度高，工作电源为 3~18V，电源电压允许变化范围大，抗干扰能力强，能与大多数 TTL 集成逻辑门兼容。其在 LSI（大规模集成逻辑门）及 VLSI（超大规模集成逻辑门）的制作上已经超过了 TTL，并占据优势。

MOS 集成逻辑门分 P 沟道增强型（称 PMOS）、N 沟道增强型（称 NMOS）和互补型 MOS（称 CMOS）三种。PMOS 由于开关速度低、电源电压高而且是负电源，不便与 TTL 集成逻辑门衔接，现在很少使用；NMOS 速度低的问题始终没有得到很好的解决；CMOS 集成逻辑门芯片广泛应用于数字、模拟电路中，成为 LSI 及 VLSI 集成逻辑门的主流产品。CMOS 集成逻辑门的产品有 4000、4500、5000、74C、74HC、74HCT 等多种系列，后两种属于高速 CMOS 集成逻辑门。其中 74 系列的 CMOS 芯片，其引脚排列和逻辑功能与同型号的 TTL 集成逻辑门一致，74HCT 的 CMOS 系列在电平和传输时间等性能上与 TTL74 系列兼容，可以互换使用。

1. CMOS 集成逻辑门的使用要求

（1）对电源的要求

1）U_{DD} 接电源正极，U_{SS} 接电源负极，电源绝对不允许反接，否则将造成芯片永久性损坏。

2）电源电压使用范围为 3～18V，实验中一般要求使用 12V 或 5V 电源。高速 CMOS 电源电压不得超过 7V。

3）工作在不同电源电压下的 CMOS 集成逻辑门，其输出阻抗、工作速度和功耗等参数也会不同，在电路的设计、使用中应引起注意。

（2）对输入端连接的要求

1）器件输入信号 u_i，要求在 $U_{SS}<u_i<U_{DD}$ 范围内。

2）闲置输入端一律不准悬空，输入端悬空，不仅会造成逻辑混乱，而且容易损坏器件。

闲置输入端的处理方法：

① 按照逻辑功能要求，与门和与非门的多余输入端直接接 U_{DD} 或高电平，或门和或非门的多余端接至 U_{SS}、低电平或接地。

② 在工作速度不高的电路中，允许与有用输入端并联使用。

③ 每个输入端的电流不能超过 1mA，必要时应在输入端串接限流电阻。

（3）对输出端连接的要求

1）输出端不允许直接与 U_{DD} 或 U_{SS} 连接，否则将导致器件损坏。

2）一般不允许几个器件输出端并接使用。为了增加驱动能力，允许把同一芯片上的电路并联使用，此时器件的输入端与输出端均对应相连。但不同芯片上的几个电路不可以并联使用。

3）输出端接较大的容性负载时，必须在输出端与容性负载之间串接限流电阻，使瞬间电流限制在 10mA 以下。

2. 注意事项

1）对 CMOS 集成逻辑门进行测试时，测试仪器外壳在操作过程必须良好接地，以免由于漏电造成 CMOS 集成逻辑门的栅极击穿。

2）若信号源与 CMOS 集成逻辑门使用两组电源供电，测试时，应先接线路板电源，后接信号源；断电时，应先断开信号源，后断开线路板电源。

3）在存放、运输时必须用铝箔包好，放于屏蔽盒内。使用时也要注意静电屏蔽。

4）电源接通期间，CMOS 集成逻辑门不能插入或拔出。

5）焊接时，最好用 25W 内热式电烙铁，电烙铁以及工作台面必须良好接地。

6）CMOS 集成逻辑门之间的连线应尽量短，由于分布电容、分布电感的影响，连线过长可能产生寄生振荡，严重时会损坏芯片，在必须使用长线的情况下，要采取保护措施。

三、TTL 和 CMOS 逻辑门电路性能比较

具有相同逻辑功能的 TTL 集成逻辑门和 CMOS 集成逻辑门由于电路结构不同，性能上

也有很大差异。具体比较如下:

1) CMOS 集成逻辑门的输入阻抗很高,可达 $10^8\Omega$ 以上,在工作频率不高的情况下,CMOS 集成逻辑门的带负载能力比 TTL 集成逻辑门强。

2) CMOS 集成逻辑门的导通电阻比 TTL 集成逻辑门的导通电阻大得多,所以 CMOS 集成逻辑门的工作速度比 TTL 集成逻辑门慢。

3) CMOS 集成逻辑门的电源电压范围为 3~18V,这使它的输出电压幅度大,因此其抗干扰能力比 TTL 集成逻辑门强。

4) CMOS 集成逻辑门的功耗比 TTL 集成逻辑门的功耗小。

5) 由于 CMOS 集成逻辑门内部电路功耗小,发热量小,所以 CMOS 集成逻辑门集成度比 TTL 集成逻辑门集成度高。

6) CMOS 集成逻辑门的工作稳定性好,抗辐射能力强,可以在特殊情况下工作。

7) 由于 CMOS 集成逻辑门的输入阻抗很高,使其容易受静电感应而击穿,虽然制作集成逻辑门时在其内部设置了保护电路,但在存放、运输和使用时还要注意静电屏蔽。焊接时电烙铁应注意接地良好,尤其是 CMOS 集成逻辑门不用的多余输入端不能悬空,应根据需要接地或接电源。

项目设备与器材

双 4 输入与非门 74LS20、三 3 输入或非门 74LS27、三 3 输入与门 74LS11、四 2 输入与非门 CC4011、四 2 输入或门 CC4071 各若干,数字电子技术实训装置,导线若干。

项目内容和步骤

1) 识别和连接 TTL 集成逻辑门电路,测试 74LS20、74LS11 和 74LS27 的逻辑功能,写出真值表。

2) 识别和连接 CMOS 集成逻辑门电路,测试 CC4011、CC4071 的逻辑功能,写出真值表。

项目评价标准

使用集成逻辑门项目评价标准见表 7-11。

表 7-11 使用集成逻辑门项目评价标准

序 号	考核内容	评分标准	分数分配	得 分
1	连接和测试 TTL 集成逻辑门电路	会连接电路,测试各个门电路逻辑功能,写出正确的真值表	40 分	
2	连接和测试 CMOS 集成逻辑门电路	会连接电路,测试各个门电路逻辑功能,写出正确的真值表	40 分	
3	安全文明生产	遵守安全操作规定,工具、器材排放整齐,卫生好	20 分	

 **项目实训报告**

1）设计封面，包括项目名称、班级、姓名、指导教师、时间等。
2）实训报告内容包括项目器材、内容、步骤。
3）测量中要记录测量值、所用门电路的型号，写出真值表，记录实训过程中出现的问题，总结实训心得体会。

小　结

1. 三种基本逻辑关系：与、或、非。实现这三种逻辑关系的电路分别称为与门、或门、非门。

2. 将分立门电路经过一定的工艺集成在一块硅片上，就可制成集成逻辑门。TTL集成逻辑门的产品众多，有与门、或门、非门、与非门、或非门、与或非门、异或门、同或门等标准器件。TTL集成逻辑门由于工作速度快，不需考虑静电屏蔽问题，得到了广泛应用。

3. MOS集成逻辑门是由MOS场效应晶体管组成的数字集成逻辑门。MOS管通常由金属、氧化物和半导体组成，它是电压控制型器件。MOS集成逻辑门制作工艺简单，成本低，输入阻抗高，功耗低，集成度高，电源电压允许变化范围大，抗干扰能力强，能与大多数的TTL逻辑电路兼容。它在LSI（大规模集成电路）及VLSI（超大规模集成电路）的制作上已经超过了TTL集成逻辑门，并占据优势。

习　题

一、填空题

1. 三种基本逻辑门电路是_____、_____和_____。
2. 异或门的逻辑表达式是 $Y=$ _____。
3. CMOS集成逻辑门比TTL集成逻辑门的集成程度更_____，带负载能力更_____，功耗更_____，抗干扰能力更_____。
4. 当用两输入与门的一个输入端传输信号时，作为控制端的另一个输入端应加_____电平。

二、选择题

1. 开关电路中开关速度快的是（　　）。
   A. NMOS　　　B. TTL　　　C. PMOS　　　D. CMOS
2. 要使异或门输出端 Y 的状态为0，A端应该（　　）。
   A. 接B　　　B. 接0　　　C. 接1　　　D. 接0或接1均可
3. 将两输入或门中一个输入作为控制端，接低电平，另一个输入作为数字信号输入端，则输出与另一输入是（　　）。
   A. 相同　　　B. 相反　　　C. 高电平　　　D. 低电平

4. 要使或门输出恒为 1，可将或门的一个输入始终接（　　）。
A. 0　　　　　　　B. 1　　　　　　　C. 接地　　　　　　D. 0、1 都可以
5. 要获得一个与输入反相的矩形波，可以用（　　）。
A. 与门　　　　　B. 或门　　　　　C. 非门　　　　　D. 不能确定
6. 连续 100 个 1 异或的结果是（　　）。
A. 1　　　　　　　B. 0　　　　　　　C. 100　　　　　　D. 2^{100}

三、判断题

1. TTL 集成逻辑门的功耗比 CMOS 集成逻辑门的小。（　　）
2. 多个 TTL 与非门的输出端可以直接并联使用。（　　）
3. 逻辑 0 只能表示 0V 电位，逻辑 1 只能表示 5V 电位。（　　）
4. CMOS 集成逻辑门的多余输入端可以悬空。（　　）
5. 电源接通期间，CMOS 集成逻辑门不能插入或拔出。（　　）
6. CMOS 与非门输入端可以悬空，相当于输入高电平。（　　）
7. 同或门的一个输入端接高电平时，可作非门使用。（　　）
8. 某 2 输入或非门的一个输入端接低电平时，可构成非门。（　　）

四、分析题

试判断图 7-12 所示 TTL 集成逻辑门电路输出与输入之间哪些图对应的逻辑关系是正确的，并将接错的予以改正。

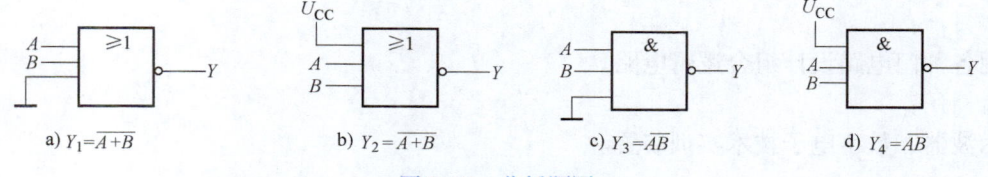

图 7-12　分析题图

五、问答题

1. 比较 TTL 集成逻辑门电路和 CMOS 集成逻辑门电路的主要优缺点。
2. 使用 TTL 集成逻辑门电路和 CMOS 集成逻辑门电路必须注意哪些问题？

模块 8 组合逻辑电路

知识目标
要知道：
1) 组合逻辑电路的定义和特点。
2) 加法器、译码器、显示译码器的含义。

要熟悉：
1) 一般组合逻辑电路的分析方法。
2) 一般组合逻辑电路的设计方法。
3) 常用组合逻辑电路：加法器、译码器逻辑功能及分析方法、设计方法。

能力目标
会分析：
加法器、译码器、一般组合逻辑电路。
会设计：
用各种门电路设计组合逻辑电路。
会使用：
示波器、数字电子技术实训装置。

素质目标
1) 通过小组合作学习组合逻辑电路的分析与设计，引导学生理论联系实际，培养学生的逻辑思维和解决实际问题的能力以及严谨细致、敢于质疑的科学精神。
2) 在电路设计优化过程中，将创新思维和科学精神的培养贯穿始终，将专业教育与社会责任感培养相结合，培养学生家国情怀，用行动践行新时代青年的责任和担当。

项目 8.1 设计一般组合逻辑电路

项目相关知识

一、组合逻辑电路概述

1. 组合逻辑电路的组成和表示

组合逻辑电路由各种门电路按一定的逻辑功能要求组合连接而成。组合逻辑电路的示意框图如图 8-1 所示。图中有 n 个输入端，m 个输出端，用下列逻辑关系来描述输出和输入的关系：

$$Y_1 = f_1(X_1, X_2, X_3, \cdots, X_n)$$
$$Y_2 = f_2(X_1, X_2, X_3, \cdots, X_n)$$
$$\cdots$$
$$Y_m = f_m(X_1, X_2, X_3, \cdots, X_n)$$

式中，X_1、X_2、X_3、$\cdots$、X_n 为输入变量；Y_1、Y_2、$\cdots$、Y_m 为输出变量。

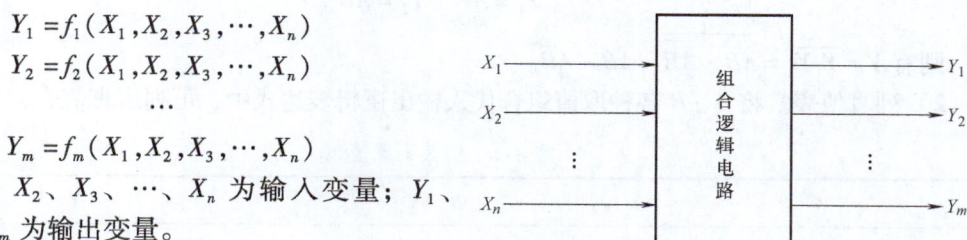

图 8-1 组合逻辑电路的示意框图

2. 组合逻辑电路特点

组合逻辑电路主要有以下特点：

1) 组合逻辑电路输出、输入之间没有反馈支路。
2) 组合逻辑电路不包含记忆单元电路。
3) 在逻辑功能上，组合逻辑电路的输出状态只与输入状态有关，与电路以前的状态无关。
4) 各种门电路是组成组合逻辑电路的基本单元。

二、组合逻辑电路的分析

组合逻辑电路的分析是从已知的逻辑电路图出发，找出输入和输出之间的逻辑关系，并写出输出逻辑函数表达式，列出真值表，分析出该电路的逻辑功能。

组合电路的分析

1. 分析组合逻辑电路的步骤

1) 由已知逻辑电路图，写出输出逻辑函数表达式。一般从输入端开始向输出端逐级写出各个门电路输出端的逻辑表达式，从而推出整个逻辑电路的总输出逻辑函数表达式。
2) 对输出逻辑函数表达式进行化简，求出最简的与或表达式。
3) 列真值表。将输入变量状态的各种取值组合代入输出逻辑函数表达式，求出相应的输出状态，并填入表中，即得真值表。
4) 按真值表分析，概括已知逻辑电路的逻辑功能。

2. 分析举例

例 8-1 分析图 8-2 所示逻辑电路的功能。

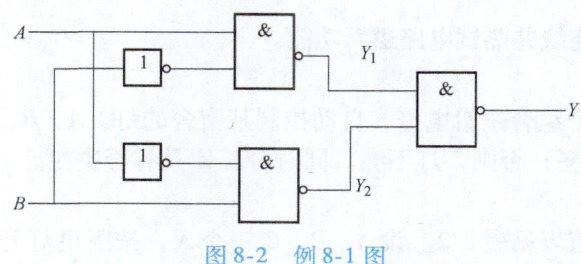

图 8-2 例 8-1 图

解：分析步骤：

1) 写出输出逻辑函数表达式。方法：从输入端开始逐级写出每个门电路的输出表达式，一直推到最后输出端，写出电路输出逻辑表达式。

$$Y_1 = \overline{A\overline{B}} \quad Y_2 = \overline{\overline{A}B}$$

则有 $Y = \overline{Y_1 Y_2} = \overline{\overline{A\overline{B}} \cdot \overline{\overline{A}B}} = A\overline{B} + \overline{A}B$。

2）列真值表。将 A、B 各种取值组合代入输出逻辑表达式中，可列出真值表，见表 8-1。

表 8-1　例 8-1 真值表

A	B	Y
0	0	0
0	1	1
1	0	1
1	1	0

3）逻辑功能分析。由表 8-1 可以看出：在两个输入变量 A、B 中，A、B 相同时，输出 Y 为 0；A、B 相异时，输出 Y 为 1。可见这是一个实现异或逻辑关系的电路。电路使用门电路个数较多，设计不合理，可用一个异或门实现。

归纳总结：整个分析步骤中不一定每步都要进行，如果已经是最简逻辑函数的，就可以省略化简，由输出逻辑函数表达式直接概述功能，也不一定需要列真值表；另外，不是每个电路均可用简明的文字来描述其逻辑功能。

三、组合逻辑电路的设计

1. 基本设计步骤

组合逻辑电路的基本设计步骤：

1）分析设计要求，确定全部输入变量和输出变量，根据设计要求列真值表。

组合电路的设计

2）根据真值表，写出输出逻辑函数表达式。

3）对输出逻辑函数表达式进行化简，用公式法或卡诺图法都可以。

4）根据最简输出逻辑函数表达式，画逻辑电路图。注意：根据已有门电路的形式将最简输出函数表达式转化为相应的形式，如与-或表达式、与非-与非表达式、或非-或非表达式、与或非表达式等。

5）选用门电路，连线并测试电路逻辑功能。

2. 设计举例

例 8-2　试设计一个组合逻辑电路，自动控制某宿舍的灯。A、B、C 三人中多数人按下各自的电灯开关时，灯亮；否则，灯不亮。同时舍长 A 具有否决权。

解：设计步骤：

1）列真值表。真值表见表 8-2。设 A、B、C 三个人，按下电灯开关用 1 表示，不按下电灯开关用 0 表示；Y 表示灯亮、灭情况，灯亮用 1 表示，灯灭用 0 表示，同时还应考虑 A 具有否决权。

表 8-2　例 8-2 真值表

A	B	C	Y
0	0	0	0
0	0	1	0
0	1	0	0
0	1	1	0
1	0	0	0
1	0	1	1
1	1	0	1
1	1	1	1

2）化简得到最简输出逻辑函数表达式：

$$Y = A\overline{B}C + AB\overline{C} + ABC = AB + AC = A(B + C)$$

3）画逻辑图，如图 8-3 所示。

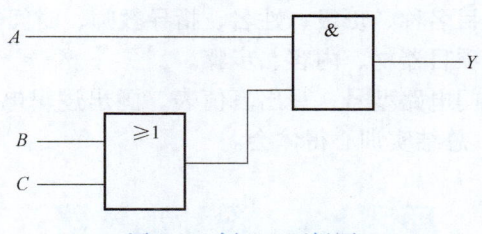

图 8-3　例 8-2 逻辑图

注意：在本例化简输出逻辑函数过程中，将最后结果适当变换形式，可以用较少的门电路来实现同样的逻辑功能。如 $Y = AB + AC$，要用两个与门和一个或门，而 $Y = A(B + C)$ 只用一个或门和一个与门即可。

项目设备与器材

与门、或门、与非门各若干，数字电子技术实训装置，导线若干。

项目内容和步骤

1）设计要求：试设计一个自动控制电源切换的组合逻辑电路。当 A、B、C 三个数字设备中两个以上工作时，用 1 号电源系统供电；只有一个数字设备工作时，用 2 号电源系统供电。根据设计要求，列出真值表。
2）写出输出逻辑函数表达式并化简。
3）画出逻辑电路图。
4）利用数字电子技术实训装置，连接电路并测试。

项目评价标准

设计一般组合逻辑电路项目评价标准见表 8-3。

表 8-3 设计一般组合逻辑电路项目评价标准

序 号	考 核 内 容	评 分 标 准	分 数 分 配	得 分
1	列真值表	对应真值表中每个输入信号,写出正确的输出信号	20 分	
2	写输出逻辑函数表达式并化简	推导表达式正确,并为最简结果	20 分	
3	画逻辑电路图	能画出逻辑电路图	20 分	
4	连接电路并测试	会连接电路,测试结果正确	30 分	
5	安全文明生产	遵守安全操作规定,工具、器材排放整齐,卫生好	10 分	

 **项目实训报告**

1) 设计封面,包括项目名称、班级、姓名、指导教师、时间等。

2) 实训报告内容包括项目器材、内容、步骤。

3) 测量中要记录所用门电路型号,写出真值表,画出逻辑电路图,记录测量结果,记录实训过程中出现的问题,总结实训心得体会。

项目 8.2 设计加法器

 **项目相关知识**

加法器的设计

一、半加器

在数字系统中,经常需要进行算术运算和数值比较。实现这些算术运算功能的电路是加法器。加法器是一种组合逻辑电路,主要功能是实现二进制数的算术加法运算。加法器分为半加器和全加器。

1. 半加器定义

只考虑两个一位二进制数的相加,而不考虑来自低位进位数的运算电路,称为半加器。

如在第 n 位的两个加数 A_n 和 B_n 相加,它除产生本位和 S_n 之外,还有一个向高位的进位数 C_n。

输入信号:加数 A_n、被加数 B_n。

输出信号:本位和 S_n、向高位的进位 C_n。

2. 半加器的设计

1) 真值表。根据二进制加法原则(逢二进一),得真值表,见表 8-4。

表8-4 半加器真值表

A_n	B_n	S_n	C_n
0	0	0	0
0	1	1	0
1	0	1	0
1	1	0	1

2) 逻辑函数表达式：
$$S_n = \overline{A_n}B_n + A_n\overline{B_n}$$
$$C_n = A_nB_n$$

3) 逻辑电路。半加器由一个异或门和一个与门组成，如图8-4a所示，逻辑符号如图8-4b所示。A_n 和 B_n 为输入端，S_n 为本位和输出端，C_n 为向高位进位输出端。

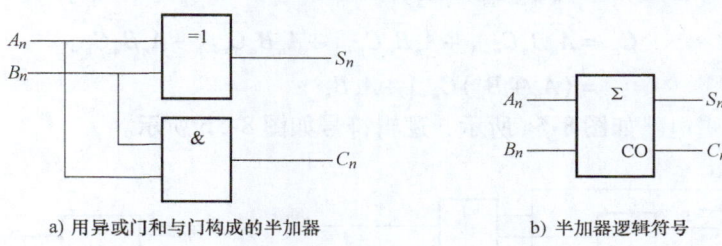

a) 用异或门和与门构成的半加器　　　　b) 半加器逻辑符号

图8-4 半加器

二、全加器

1. 全加器定义

不仅考虑两个一位二进制数相加，而且还考虑来自低位进位数相加的运算电路，称为全加器。

如在第 n 位二进制数相加时，被加数、加数和来自低位的进位数分别为 A_n、B_n、C_{n-1}，输出本位和为 S_n、向相邻高位的进位数为 C_n。因此，输入信号为加数 A_n、被加数 B_n、来自低位的进位 C_{n-1}。输出信号为本位和 S_n、向高位的进位 C_n。

2. 全加器的设计

1) 真值表。全加器真值表见表8-5。

表8-5 全加器真值表

A_n	B_n	C_{n-1}	S_n	C_n
0	0	0	0	0
0	0	1	1	0
0	1	0	1	0
0	1	1	0	1
1	0	0	1	0
1	0	1	0	1

（续）

A_n	B_n	C_{n-1}	S_n	C_n
1	1	0	0	1
1	1	1	1	1

2) <u>S_n 和 C_n 的逻辑函数表达式</u>：

$$S_n = \overline{A_n}\,\overline{B_n}C_{n-1} + \overline{A_n}B_n\overline{C_{n-1}} + A_n\overline{B_n}\,\overline{C_{n-1}} + A_n B_n C_{n-1}$$
$$= (\overline{A_n}\,\overline{B_n} + A_n B_n)C_{n-1} + (\overline{A_n}B_n + A_n\overline{B_n})\overline{C_{n-1}}$$
$$= \overline{A_n \oplus B_n}\,C_{n-1} + (A_n \oplus B_n)\overline{C_{n-1}}$$
$$= A_n \oplus B_n \oplus C_{n-1}$$

$$C_n = \overline{A_n}B_n C_{n-1} + A_n\overline{B_n}C_{n-1} + A_n B_n\overline{C_{n-1}} + A_n B_n C_{n-1}$$
$$= (A_n \oplus B_n)C_{n-1} + A_n B_n$$

3) <u>全加器逻辑电路</u>如图 8-5a 所示，逻辑符号如图 8-5b 所示。

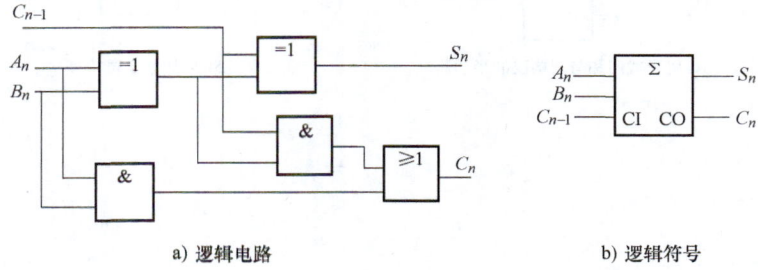

图 8-5 全加器

现有中规模集成电路双全加器 74LS183（其内部逻辑图及引脚排列见图 8-6），以供实际应用中参考。

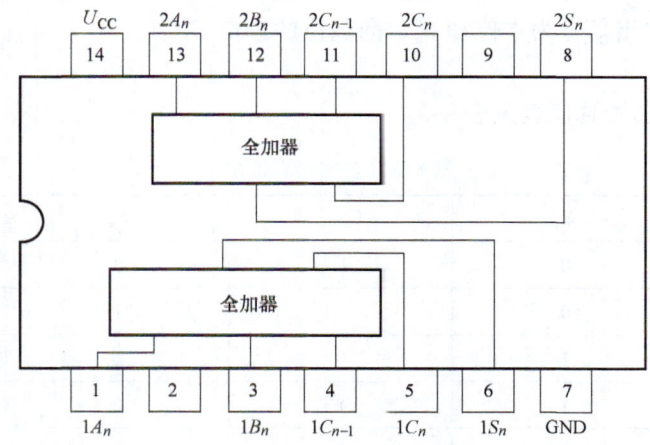

图 8-6 74LS183 内部逻辑图及引脚排列

项目设备与器材

四 2 输入与门（74LS08）、四 2 输入或门（74LS32）、四 2 输入异或门（74LS86）各若干，数字电子技术实训装置，导线若干。

 项目内容和步骤

1）设计半加器电路，连接电路并测试。
2）设计全加器电路，连接电路并测试。

 项目评价标准

设计加法器项目评价标准见表 8-6。

表 8-6 设计加法器项目评价标准

序 号	考 核 内 容	评 分 标 准	分数分配	得　分
1	设计半加器电路	电路设计正确，连接电路，测试结果符合设计要求	40 分	
2	设计全加器电路	电路设计正确，连接电路，测试结果符合设计要求	50 分	
3	安全文明生产	遵守安全操作规定，工具、器材排放整齐，卫生好	10 分	

 **项目实训报告**

1）设计封面，包括项目名称、班级、姓名、指导教师、时间等。
2）实训报告内容包括项目器材、内容、步骤。
3）测量中要记录真值表、所用门电路型号、逻辑电路图和测试结果，记录实训过程中出现的问题，总结实训心得体会。

项目 8.3　识别与检测数码显示器及显示译码器

 **项目相关知识**

数码显示器和显示译码器

显示译码器能将输入的代码翻译出来并驱动显示器件显示数字或图形。它主要由译码器和驱动器两部分组成，通常这两部分集成在一块芯片上。显示译码器输入信号是二进制代码，输出信号驱动数码显示器，显示出十进制数码的图形。

一、数码显示器

在数字系统中显示十进制数码通常采用七段数码显示器，主要有半导体数码显示器

(LED)、液晶显示器（LCD）、等离子体显示板等。

1. 半导体数码显示器

半导体数码显示器由七段可发光线段拼合组成，每个线段是一个发光二极管，当发光二极管正向导通时，发出红色、橙色、绿色、蓝色等颜色的光，可以显示出 0~9 十个数字的图形，如图 8-7 所示。

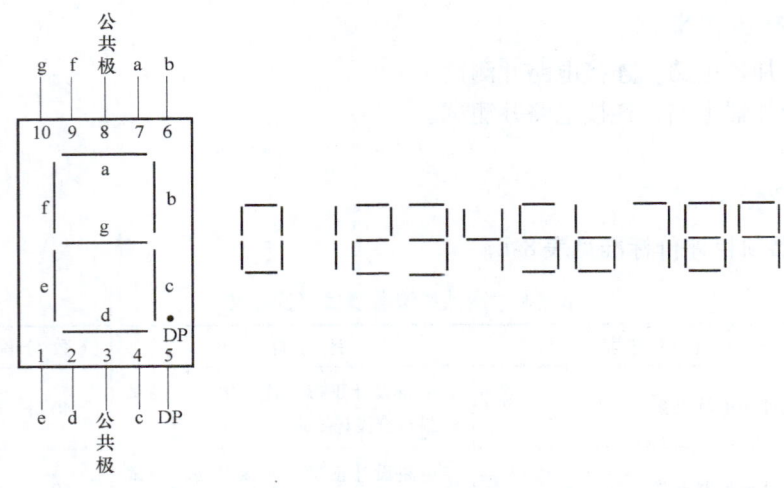

图 8-7　半导体数码显示器及显示的数字图形

图 8-7 中的 7 个发光二极管 a、b、c、d、e、f、g 有两种接法：一种是共阳极接法，如图 8-8a 所示；另一种是共阴极接法，如图 8-8b 所示。其中 DP 是小数点，也用一个发光二极管显示，R 是限流电阻。共阳极接法中将公共极接 U_{CC}，共阴极接法中公共极接地。当七段显示译码器输出为低电平有效时，选用共阳极接法的数码显示器；当译码器输出高电平有效时，选用共阴极接法的数码显示器。发光二极管是一种电流控制型器件，可以采用直流驱动，也可以采用交流驱动，正向偏置时，只要它的工作电流在规定的范围内，就能正常发光。

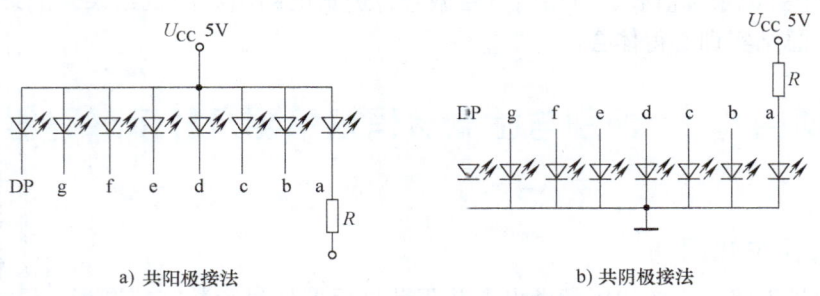

图 8-8　半导体数码显示器的内部接法

半导体数码显示器的工作电压低、体积小、寿命长、响应速度快、工作可靠性高、色彩鲜艳、显示清晰，在数字仪器仪表及各类信息显示中广泛应用。其主要缺点是工作电流比较大，为 10~30mA（低电流发光二极管的工作电流在 2mA 以下），因此必须串接限流电阻使用。

2. 液晶显示器

液晶是介于液体和晶体之间的一种有机化合物，液晶显示器是将液晶夹在两个平板玻璃之间，在玻璃板上做成七段式电极。当没有外加电场时，射入的大部分光线反射回来，液晶为透明状态，显示器呈白色。在电极上加上电压后，液晶因电离产生正离子，这些正离子在电场的作用下运动，使液晶分子的排列被打乱，射入的大部分光线发生散射，只有少部分被反射回来，液晶呈混浊状态，显示器呈暗灰色。当外电场消失后，液晶恢复原状。可见，选择不同的电极组合，加上一定电压，就可以显示出数码的形状或者其他符号。

液晶显示器工作电压低，在 1V 以下也能工作，功耗极小，辐射也很小。缺点是响应速度慢，亮度较差。

3. 等离子体显示板

等离子体显示板是在显示平面上安装数以十万计的等离子管作为发光体。每个发光管有两个玻璃电极，内部充满氖、氙等惰性气体，其中一个玻璃电极上涂有三原色荧光粉。当两个电极间加上高电压时，惰性气体放电，产生等离子体。等离子产生的紫外线激发涂有荧光粉的电极而发出不同分量的由三原色混合的可见光，利用放电点的组合形成数码图形。

等离子体显示板与其他显示器相比，体积更小，重量更轻，它的显示平面大，清晰度高，辐射极小，工作可靠，发光明亮，颜色鲜艳，响应速度快，视野开阔，视角高达 160°，常用于车站、港口、机场等大型场所。

二、显示译码器

常用的七段显示译码器有 4511、4513 等，图 8-9 是 4513 的引脚示意图，它是共阴极显示译码器。其中 A_3、A_2、A_1、A_0 是输入端，输入为 8421BCD 码；Y_a、Y_b、Y_c、Y_d、Y_e、Y_f、Y_g 为输出端，高电平有效。4513 的功能表见表 8-7。

图 8-9 中，$\overline{LT}$ 为测试端，测试 LED 码段是否完好，它的优先级别最高。当 $\overline{LT}=0$ 时，不管其他输入端是什么状态，$Y_a \sim Y_g$ 都为高电平 1，应显示数字 8 的字形，以测试码段是否完好。

$\overline{BI}$ 为消隐输入端，它的优先级别仅次于 $\overline{LT}$。当 $\overline{LT}=1$，$\overline{BI}=0$ 时，不管余下的所有输入端是什么状态，$Y_a \sim Y_g$ 都为低电平 0，不显示字形。

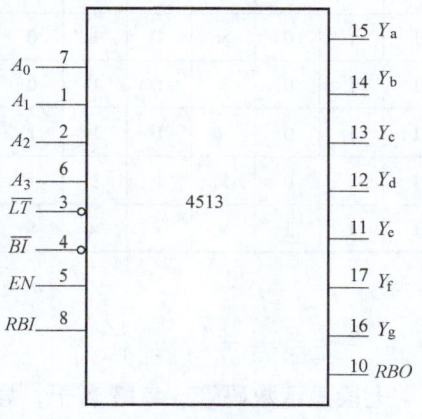

图 8-9　4513 的引脚示意图

EN 是数据锁存输入端，当 $\overline{LT}=1$，$\overline{BI}=1$ 时，若 $EN=1$，输入代码 $A_3A_2A_1A_0$ 被锁存，七段显示译码器输出保持以前的状态；若 $EN=0$，译码器正常工作，正常输出显示。EN 的优先级别仅次于 $\overline{LT}$ 和 $\overline{BI}$。

$\overline{RBI}$ 为灭零输入端，$\overline{RBO}$ 是灭零输出端。当 $\overline{LT}=1$，$\overline{BI}=1$，$EN=0$ 时，若 $\overline{RBI}=1$，输入代码 $A_3A_2A_1A_0=0000$ 的输出字形将不显示，即输出的 "0" 被熄灭，此时 $\overline{RBO}=1$。当输入其他代码时，输出正常显示。

表 8-7 4513 的功能表

$\overline{LT}$	$\overline{BI}$	EN	RBI	A_3	A_2	A_1	A_0	Y_a	Y_b	Y_c	Y_d	Y_e	Y_f	Y_g	显示
0	×	×	×	×	×	×	×	1	1	1	1	1	1	1	8
1	0	×	×	×	×	×	×	0	0	0	0	0	0	0	不显示
1	1	0	1	0	0	0	0	0	0	0	0	0	0	0	不显示
1	1	0	0	0	0	0	0	1	1	1	1	1	1	0	0
1	1	0	×	0	0	0	1	0	1	1	0	0	0	0	1
1	1	0	×	0	0	1	0	1	1	0	1	1	0	1	2
1	1	0	×	0	0	1	1	1	1	1	1	0	0	1	3
1	1	0	×	0	1	0	0	0	1	1	0	0	1	1	4
1	1	0	×	0	1	0	1	1	0	1	1	0	1	1	5
1	1	0	×	0	1	1	0	0	0	1	1	1	1	1	6
1	1	0	×	0	1	1	1	1	1	1	0	0	0	0	7
1	1	0	×	1	0	0	0	1	1	1	1	1	1	1	8
1	1	0	×	1	0	0	1	1	1	1	0	0	1	1	9
1	1	0	×	1	0	1	0	0	0	0	0	0	0	0	不显示
1	1	0	×	1	0	1	1	0	0	0	0	0	0	0	不显示
1	1	0	×	1	1	0	0	0	0	0	0	0	0	0	不显示
1	1	0	×	1	1	0	1	0	0	0	0	0	0	0	不显示
1	1	0	×	1	1	1	0	0	0	0	0	0	0	0	不显示
1	1	0	×	1	1	1	1	0	0	0	0	0	0	0	不显示
1	1	1	×	×	×	×	保持前一时刻($EN=0$)状态								

项目设备与器材

七段显示数码管、4513 若干，导线若干，数字电子技术实训装置。

项目内容和步骤

1）利用数字电子技术实训装置，测试七段显示数码管。
2）利用数字电子技术实训装置，测试 4513 逻辑功能。

项目评价标准

识别与检测显示译码器和数码显示器项目评价标准见表 8-8。

表 8-8　识别与检测显示译码器和数码显示器项目评价标准

序　号	考 核 内 容	评 分 标 准	分 数 分 配	得　　分
1	测试七段显示数码管	会连接电路并测试	40 分	
2	测试 4513 逻辑功能	会连接电路并测试	50 分	
3	安全文明生产	遵守安全操作规定，工具、器材排放整齐，卫生好	10 分	

 **项目实训报告**

1）设计封面，包括项目名称、班级、姓名、指导教师、时间等。

2）实训报告内容包括项目器材、内容、步骤。

3）测量中要记录所用集成电路型号、逻辑功能，记录实训过程中出现的问题，总结实训心得体会。

小　　结

数制

1. 组合逻辑电路在任意时刻的输出仅由当时的输入状态决定，而与电路以前的状态无关。它的输入和输出为不同的二进制代码。组合逻辑电路没有记忆功能，只有输入到输出的通路，没有输出到输入的反馈电路。

2. 组合逻辑电路分析是根据已知的逻辑图，推导出最简形式的输出逻辑函数表达式，列出真值表，分析逻辑功能。

3. 组合逻辑电路设计是根据逻辑要求，列出真值表，推导出输出逻辑函数表达式，选择适当的门电路及元件，经组装调试，做出符合要求的电路。

4. 加法器是常用的组合逻辑电路之一，有 TTL 和 CMOS 系列的集成逻辑门产品，可以按需选用。

5. 加法器分为半加器和全加器。半加器只进行两个同位数相加，而不考虑低位来的进位。全加器不仅进行两个同位数相加，还要考虑低位来的进位。

习　　题

一、填空题

1. 组合逻辑电路的特点是输出状态只与当时的_____有关，与电路原来的状态_____，其基本单元电路是_____。

2. 二进制加法根据是否考虑低位的进位可分为_____和_____。

二、选择题

1. 半加器的加数与被加数本位求和的逻辑关系是（　　）。

A. 与非   B. 与   C. 异或   D. 或非

2. 一个全加器应由两个半加器和一个（　　）构成。

A. 与非门   B. 与门   C. 或门   D. 或非门

三、判断题

1. 全加器就是两个半加器的组合。（　　）
2. 加法器是对两组二进制数进行比较的电路。（　　）
3. 组合逻辑电路没有记忆功能。（　　）
4. 组合逻辑电路由门电路组成，只有输入到输出的通路，没有输出到输入的反馈电路。（　　）

四、设计题

1. 设计一个 4 人表决电路，当董事会表决某一提案，多数人同意时，提案通过；如果两人同意时，若一人为董事长，提案也通过。

2. 设计一个 3 人裁判电路，三个裁判中，主裁判一人，副裁判两人。要求除主裁判外，至少一人判是，结果有效，否则结果无效。请用与非门实现。

模块 9

触 发 器

知识目标

要知道：
1）触发器的分类。
2）各种触发器的特点。

要熟悉：
1）各种触发器的逻辑功能描述方法：特性表、特性方程、状态转换图、工作波形。
2）各种触发器的工作特点。

能力目标

会分析：
各种触发器工作原理。

会画出：
1）不同触发器之间的转换电路图。
2）各种触发器的逻辑符号。
3）触发器的状态转换图。
4）各种触发器的输出波形。

会测试：
各种常用集成触发器的逻辑功能。

会使用：
RS 触发器、JK 触发器、D 触发器。

素质目标

1）通过学习触发器输出状态，培养学生不忘初心、牢记使命的责任感。
2）通过测试同步触发器，启发学生用联系和全局的观点发现规律，并找到解决问题的方法，培养学生成本意识和节约意识。

项目 9.1 测试基本触发器

 **项目相关知识**

触发器是时序逻辑电路的基本单元,是具有记忆功能的逻辑电路,能存储二进制信息。

1. 触发器的基本特性

1) 具有两个稳定状态,可分别用二进制数码 0 和 1 表示,无外触发时可以维持稳态;通常用 Q 端的输出状态来表示触发器的状态。

1 态:$Q=1$、$\overline{Q}=0$,记 $Q=1$,与二进制数码的 1 对应。

0 态:$Q=0$、$\overline{Q}=1$,记 $Q=0$,与二进制数码的 0 对应。

2) 在输入信号触发下,两个稳态可以相互转换(称为翻转),当输入信号消失后,已转换的稳定状态可以长期保持下来,这就使得触发器能够记忆二进制信息,常用作二进制存储单元。

3) 有两个互补输出端,分别用 Q 和 $\overline{Q}$ 表示。

2. 触发器的分类

根据逻辑功能不同分为:RS 触发器、D 触发器、JK 触发器、T 触发器和 T′触发器等。

根据触发方式不同分为:电平触发器、边沿触发器和主从型触发器等。

根据电路结构不同分为:基本触发器、同步触发器、维持阻塞触发器、主从型触发器和边沿触发器等。

一、基本 RS 触发器电路结构

与非型基本 RS 触发器由两个与非门输入和输出交叉耦合组成,逻辑电路图如图 9-1a 所示,逻辑符号如图 9-1b 所示。

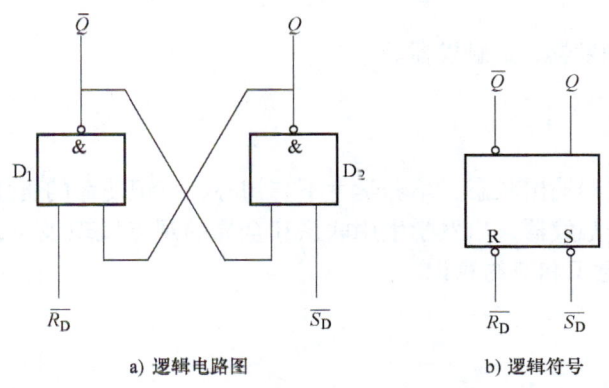

a) 逻辑电路图 b) 逻辑符号

图 9-1 与非型基本 RS 触发器的逻辑电路图和逻辑符号

其中信号输入端有两个，一个是$\overline{R_D}$，称为置 0 端，也称为复位端；另一个是$\overline{S_D}$，称为置 1 端，也称为置位端。$\overline{R_D}$和$\overline{S_D}$上的非号表示低电平有效。输出端为 Q 和 $\overline{Q}$，在触发器处于稳定状态时，它们的输出状态相反。

1 态：$Q = 1$，$\overline{Q} = 0$。

0 态：$Q = 0$，$\overline{Q} = 1$。

二、基本 RS 触发器逻辑功能分析

在以后分析中，原态是指触发器输入信号变化前的状态，用 Q^n、$\overline{Q^n}$ 表示；次态是指触发器输入信号变化后的状态，用 Q^{n+1}、$\overline{Q^{n+1}}$ 表示。

由图 9-1 可知：$Q^{n+1} = \overline{\overline{S_D} \cdot Q^n}$，$\overline{Q^{n+1}} = \overline{Q^n \cdot \overline{R_D}}$，$\overline{R_D}$和$\overline{S_D}$低电平有效。

1) $\overline{R_D} = 0$，$\overline{S_D} = 1$，触发器置 0，即 $Q^{n+1} = 0$，触发器被置为 0 态，简称触发器置 0。因此$\overline{R_D}$称为置 0 端，低电平有效。

2) $\overline{R_D} = 1$，$\overline{S_D} = 0$，触发器置 1，即 $Q^{n+1} = 1$，触发器被置为 1 态，简称触发器置 1。此时 D_1 输出$\overline{Q^{n+1}} = 0$。因此$\overline{S_D}$称为置 1 端，也称置位端，低电平有效。

3) $\overline{R_D} = 1$，$\overline{S_D} = 1$，触发器保持原态不变。

4) $\overline{R_D} = 0$，$\overline{S_D} = 0$，触发器状态不定。输出 $Q^{n+1} = \overline{Q^{n+1}} = 1$，这既不是 1 态，也不是 0 态，会造成逻辑混乱。

当$\overline{R_D}$和$\overline{S_D}$同时由 0 变为 1 时，由于 D_1 和 D_2 延迟时间上的差异，触发器输出状态无法预知，可能是 1 态，也可是 0 态。实际上，这种情况是不允许的。因此，基本 RS 触发器有约束条件：

$$\overline{R_D} + \overline{S_D} = 1 \text{ 或者 } R_D S_D = 0$$

即$\overline{R_D}$和$\overline{S_D}$不允许同时为 0，其中至少有一个为 1；或者 R_D 和 S_D 不能同时为 1，其中至少一个为 0。

三、基本 RS 触发器特性表

特性表是指表示触发器次态 Q^{n+1} 与输入信号$\overline{R_D}$、$\overline{S_D}$及电路原态 Q^n 之间关系的真值表。根据上述逻辑功能的分析，可以列出与非型基本 RS 触发器的特性表，见表 9-1。

表 9-1　与非型基本 RS 触发器的特性表

$\overline{R_D}$	$\overline{S_D}$	Q^n	Q^{n+1}	说　　明
0	0	0	×	不定
0	0	1	×	
0	1	0	0	置 0
0	1	1	0	

（续）

$\overline{R_D}$	$\overline{S_D}$	Q^n	Q^{n+1}	说　明
1	0	0	1	置1
1	0	1	1	
1	1	0	0	保持
1	1	1	1	

 项目设备与器材

数字电子技术实训装置、与非门若干、导线若干。

 **项目内容和步骤**

1）利用与非门组装基本 RS 触发器电路。
2）测试基本 RS 触发器的逻辑功能。

 项目评价标准

测试基本 RS 触发器项目评价标准见表 9-2。

表 9-2　测试基本 RS 触发器项目评价标准

序　号	考核内容	评分标准	分数分配	得　分
1	组装电路	会连接电路，熟练使用与非门	50 分	
2	测试基本 RS 触发器逻辑功能	能写出特性表	40 分	
3	安全文明生产	遵守安全操作规定，工具、器材排放整齐，卫生好	10 分	

 **项目实训报告**

1）设计封面，包括项目名称、班级、姓名、指导教师、时间等。
2）实训报告内容包括项目器材、内容、步骤。
3）测量中要记录测量值、所用与非门电路型号，写出特性表，记录实训过程中出现的问题，总结实训心得体会。

项目 9.2　测试同步触发器

 **项目相关知识**

同步触发器是指除两个信号输入端外，还有时钟脉冲 CP 控制端的触发器。

时钟脉冲 CP 是控制时序电路工作节奏的、频率固定的脉冲信号，一般是矩形波。因为触发器状态的改变与时钟脉冲同步,所以称为同步触发器。同步触发器的翻转时刻受时钟脉冲 CP 控制。触发器翻转到何种状态由输入信号决定。

一、同步 RS 触发器

1. 电路结构

同步RS触发器

由基本 RS 触发器加上两个钟控门 D_3、D_4 组成同步 RS 触发器,同步 RS 触发器的逻辑电路图如图 9-2a 所示,逻辑符号如图 9-2b 所示。

钟控端(CP 端)也称为时钟脉冲输入端。

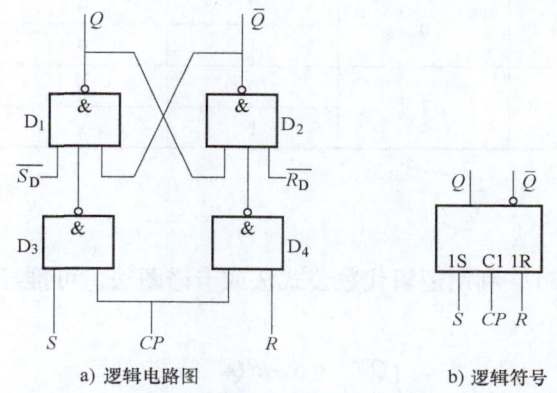

图 9-2　同步 RS 触发器的逻辑电路图和逻辑符号

2. 逻辑功能分析

当 $CP=0$ 时,D_3、D_4 被封锁,D_3、D_4 输出都为 1,不论输入信号 R、S 如何变化,触发器的状态保持不变。

当 $CP=1$ 时,D_3、D_4 解除封锁,其输出状态仍由 R、S 端的输入信号和电路的原态 Q^n 决定。$\overline{R_D}$ 和 $\overline{S_D}$ 不受 CP 控制,分别称为异步置 0 端、异步置 1 端,或者称为直接置 0 端、直接置 1 端。

在 $CP=1$ 期间,$\overline{R_D}=\overline{S_D}=1$,触发器工作分析如下:

1)$R=0$,$S=0$,D_3、D_4 输出都为 1,触发器保持原态不变。
2)$R=0$,$S=1$,D_3 输出为 0,D_4 输出为 1,则可推出 D_1 输出为 1,D_2 输出为 0,即触发器置 1。
3)$R=1$,$S=0$,D_3 输出为 1,D_4 输出为 0,则可推出 D_2 输出为 1,D_1 输出为 0,触发器置 0。
4)$R=S=1$,D_3、D_4 输出都为 0,则 $Q^{n+1}=\overline{Q^{n+1}}=1$,即触发器的状态不定,不允许使用。

所以同步 RS 触发器约束条件是:$RS=0$,即 R 和 S 中至少一个为 0。

3. 特性表

根据上述工作情况可推导出同步 RS 触发器的特性表,见表 9-3。

表 9-3　同步 RS 触发器的特性表

CP	R	S	Q^n	Q^{n+1}	说　明
0	×	×	0	0	封锁
	×	×	1	1	
1	0	0	0	0	保持
	0	0	1	1	
	0	1	0	1	置1
	0	1	1	1	
	1	0	0	0	置0
	1	0	1	0	
	1	1	0	×	不定
	1	1	1	×	

4. 特性方程

触发器次态 Q^{n+1} 与输入信号 R、S 以及原态 Q^n 间的逻辑表达式称为触发器的特性方程。

根据特性表（表 9-3），利用逻辑代数公式法或卡诺图法，可推导出同步 RS 触发器特性方程为

$$\begin{cases} Q^{n+1} = S + \overline{R}Q^n \\ RS = 0\,(约束条件) \end{cases}$$

5. 状态转换图

触发器从一个状态变化到另一个状态或保持原态不变时，对输入信号（R、S）提出的要求，就是触发器状态转换的条件。

根据特性表（表 9-3）可画出同步 RS 触发器的状态转换图，如图 9-3 所示。

其中，圆圈表示触发器的两个稳定状态。箭头指在 CP 作用下状态转换的变化方向。标注的 R、S 值表示触发器状态转换的条件。

6. 波形图

根据同步 RS 触发器的特性表（表 9-3），可以画出其工作波形。在 CP=0 期间，RS 触发器封锁，状态保持不变。在 CP=1 期间，RS 触发器状态随着输入信号 R、S 的变化而相应变化。当 R=S=1 时，处于不定态。同步 RS 触发器的工作波形如图 9-4 所示。

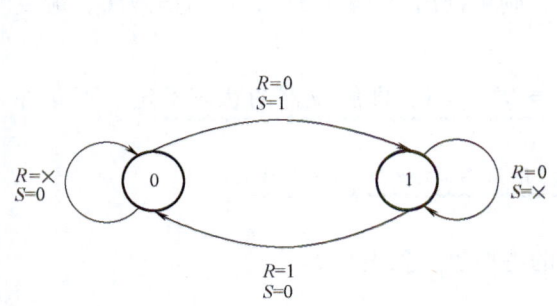

图 9-3　同步 RS 触发器的状态转换图

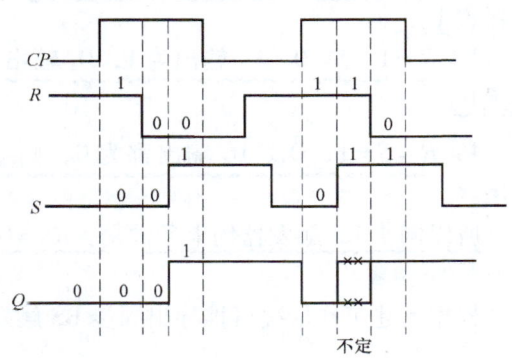

图 9-4　同步 RS 触发器的工作波形

二、同步 D 触发器

1. 电路结构

将同步 RS 触发器简单改接一下，就可以避免出现 $R = S = 1$ 的情况，即在 R 和 S 之间接入非门 D_5，这样的触发器只有一个输入信号端 D、一个时钟脉冲输入端 CP。同步 D 触发器的逻辑电路图如图 9-5a 所示，逻辑符号如图 9-5b 所示。

同步D触发器

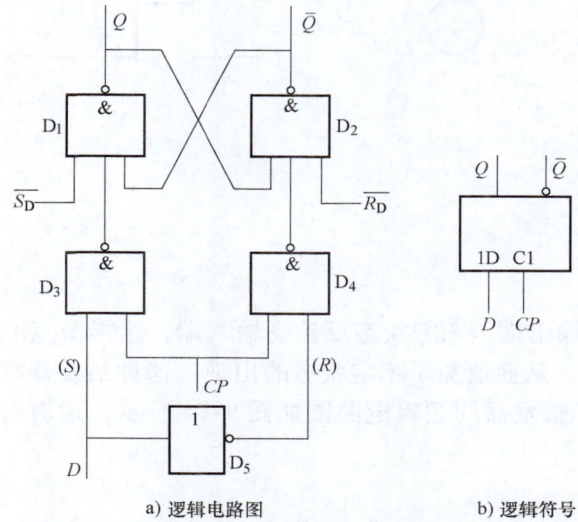

a) 逻辑电路图　　b) 逻辑符号

图 9-5　同步 D 触发器的逻辑电路图和逻辑符号

2. 特性表及特性方程、状态转换图、波形图

1) 特性表。根据同步 D 触发器的逻辑电路图，可推导出其特性表，见表 9-4。

表 9-4　同步 D 触发器的特性表

CP	D	Q^n	Q^{n+1}	说　明
0	×	0	0	保持原态不变
	×	1	1	
1	0	0	0	输出状态和 D 相同
	0	1	0	
	1	0	1	
	1	1	1	

2) 根据同步 D 触发器的特性表可知，当 $CP = 0$ 时，$Q^{n+1} = Q^n$。当 $CP = 1$ 时，$Q^{n+1} = D$。

特性方程：$Q^{n+1} = D$。

3) 状态转换图。根据特性表（表 9-4）可画出同步 D 触发器的状态转换图，如图 9-6 所示。

4) 波形图。根据同步 D 触发器的特性表可知，在 $CP = 0$ 期间，D 触发器封锁，状态保持不变。在 $CP = 1$ 期间，D 触发器状态随着输入信号 D 的变化而相应变化。同步 D 触发器没有不定状态，它的工作波形如图9-7所示。

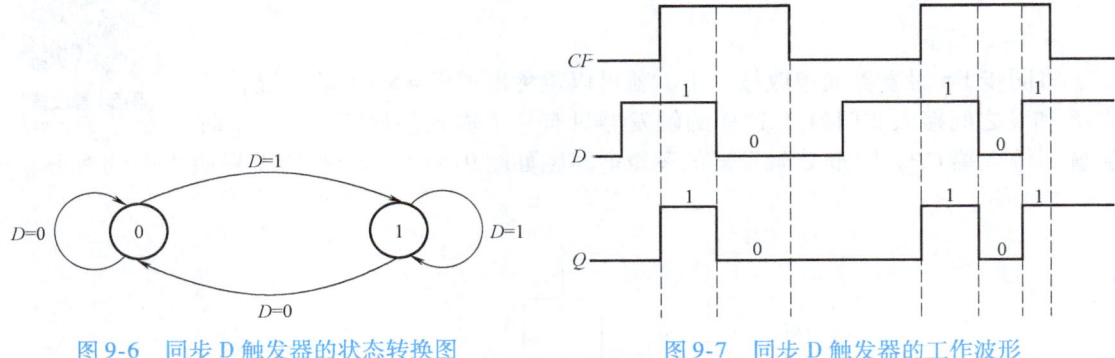

图9-6 同步D触发器的状态转换图　　　　图9-7 同步D触发器的工作波形

三、同步JK触发器

1. 电路结构

将同步RS触发器输出端Q和$\overline{Q}$状态反馈到输入端，这样D_3和D_4的输出就不会同时出现0，从而避免了不定状态的出现，这种触发器称为同步JK触发器。同步JK触发器的逻辑电路图如图9-8a所示，逻辑符号如图9-8b所示。

同步JK触发器

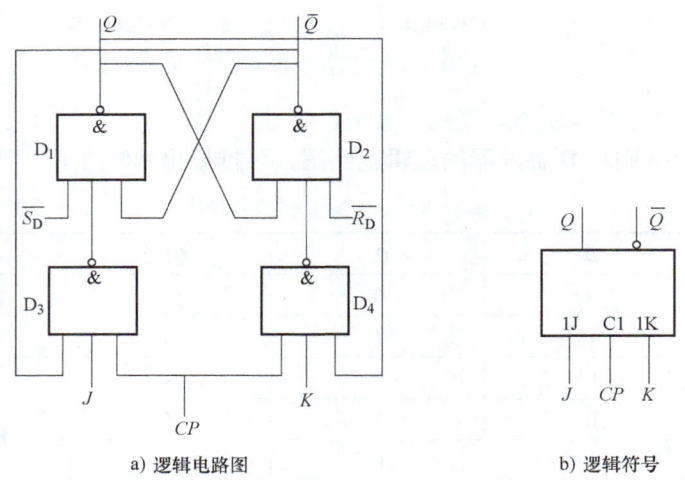

a) 逻辑电路图　　　　b) 逻辑符号

图9-8 同步JK触发器的逻辑电路图和逻辑符号

2. 逻辑功能分析

当$CP=0$时，D_3、D_4被封锁，触发器保持原态。

当$CP=1$时，D_3、D_4解除封锁，输入J、K端的信号可控制触发器的状态。

在$CP=1$期间，$\overline{R_D}=\overline{S_D}=1$，触发器工作分析如下：

1) 当$J=0$，$K=0$时，D_3、D_4输出都为1，触发器保持原态不变，即$Q^{n+1}=Q^n$。

2) 当$J=0$，$K=1$时，触发器置0。

设原态 $Q^n=0$，$\overline{Q^n}=1$，则 D_3 输出 1，D_4 输出 1，因此，触发器保持原态，即 $Q^{n+1}=Q^n=0$，$\overline{Q^{n+1}}=\overline{Q^n}=1$。

再设 $Q^n=1$，$\overline{Q^n}=0$，则 D_3 输出 1，D_4 输出 0，因此，D_2 输出 1，D_1 输出 1（此为中间过渡状态），随后经反馈，D_2 输出 1，D_1 输出 0，即 $\overline{Q^{n+1}}=1$，$Q^{n+1}=0$。此时，触发器置 0。

3) 当 $J=1$，$K=0$ 时，触发器置 1，与上述 $J=0$，$K=1$ 的分析方法相同。

4) 当 $J=1$，$K=1$ 时，触发器翻转。

设原态 $Q^n=0$，$\overline{Q^n}=1$，则 D_3 输出 0，D_4 输出 1，因此，D_1 输出 1，推出 D_2 输出 0，即 $Q^{n+1}=1$，$\overline{Q^{n+1}}=0$。

再设 $Q^n=1$，$\overline{Q^n}=0$，则 D_3 输出 1，D_4 输出 0，因此，D_2 输出 1，推出 D_1 输出 0，即 $\overline{Q^{n+1}}=1$，$Q^{n+1}=0$。

可见，当 $J=1$，$K=1$ 时，触发器的次态与原态相反，这一现象称为触发器状态翻转。

3. 特性表

根据同步 JK 触发器的工作分析，可推出同步 JK 触发器的特性表，见表 9-5。

4. 特性方程

根据同步 JK 触发器的特性表（表 9-5）可化简得到同步 JK 触发器的特性方程：

$$Q^{n+1}=J\overline{Q^n}+\overline{K}Q^n$$

5. 状态转换图

由同步 JK 触发器的特性表（表 9-5）画出其状态转换图，如图 9-9 所示。

表 9-5 同步 JK 触发器的特性表

J	K	Q^n	Q^{n+1}	说　明
0	0	0	0	保持原态
0	0	1	1	
0	1	0	0	置 0
0	1	1	0	
1	0	0	1	置 1
1	0	1	1	
1	1	0	1	状态翻转
1	1	1	0	

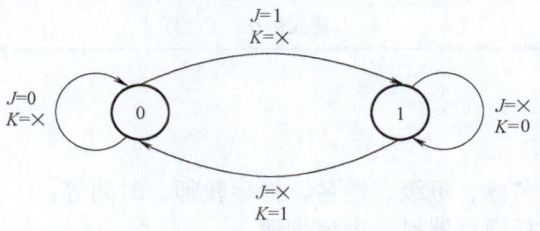

图 9-9　同步 JK 触发器的状态转换图

6. 波形图

根据同步 JK 触发器的特性表（表 9-5），可画出其工作波形，如图 9-10 所示。

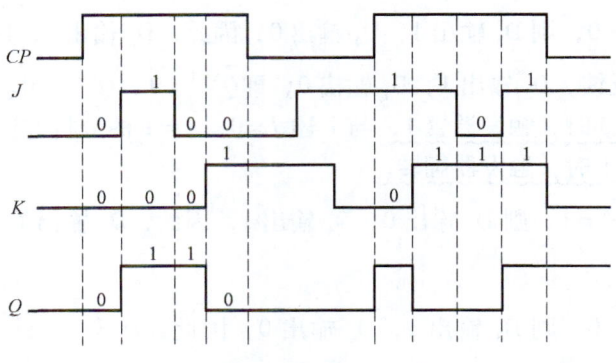

图 9-10　同步 JK 触发器的工作波形

项目设备与器材

74LS74（双 D 触发器）、74LS12（双 JK 触发器）若干，数字电子技术实训装置，数字示波器，导线若干。

项目内容和步骤

1）测试 D 触发器逻辑功能。
2）测试 JK 触发器逻辑功能。

项目评价标准

使用与测试同步触发器项目评价标准见表 9-6。

表 9-6　使用与测试同步触发器项目评价标准

序号	考核内容	评分标准	分数分配	得分
1	测试 D 触发器	会连接电路，测试逻辑功能，写出特性表、特性方程，画出波形图	40 分	
2	测试 JK 触发器	会连接电路，测试逻辑功能，写出特性表、特性方程，画出波形图	40 分	
3	安全文明生产	遵守安全操作规定，工具、器材排放整齐，卫生好	20 分	

项目实训报告

1）封面，包括项目名称、班级、姓名、指导教师、时间等。
2）实训报告内容包括项目器材、内容步骤。
3）测量中要记录所用 D 触发器和 JK 触发器型号，写出特性表和特性方程，画出波形图,记录实训过程中出现的问题,总结实训心得体会。

小　　结

　　1. 触发器具有记忆和翻转功能,是一种能存储一位二进制数码 0、1 的电路,有若干个输入端,有一对互补输出端,它是时序逻辑电路的基本单元。
　　2. 根据逻辑功能的不同,触发器可分为 RS 触发器、D 触发器、JK 触发器等。基本 RS 触发器没有时钟输入端,属于电平直接触发型。同步触发器输出状态由输入信号决定,翻转时刻由时钟脉冲的电平控制。
　　3. 触发器的特性表、特性方程、状态转换图、波形图能描述触发器的逻辑功能,它们之间可以相互转换。

习　　题

一、填空

　　1. 触发器具有_____个稳定的输出状态,其输出状态由_____和触发器的_____共同决定。
　　2. $RS=0$ 是_____触发器的约束条件,表示_____。
　　3. 同步 JK 触发器具有_____、_____、_____、_____功能。
　　4. 特性表用来表示触发器的_____、_____、_____之间的关系。
　　5. 同步型 RS 触发器、D 触发器、JK 触发器的特性方程分别是_____、_____、_____。

二、选择题

　　1. 同步 JK 触发器在 $CP=1$ 期间,当输入信号 $J=1$、$K=0$,变为 $J=0$、$K=0$ 时,触发器的输出状态(　　)。
　　A. 保持 1 态　　　　B. 保持 0 态　　　　C. 由 0 态变为 1 态　　　　D. 由 1 态变为 0 态
　　2. 同步 RS 触发器的"同步"是指(　　)。
　　A. R、S 两个信号同步　　　　　　　　B. Q^{n+1} 与 S 同步
　　C. Q^{n+1} 与 CP 同步　　　　　　　　D. Q^{n+1} 与 R 同步
　　3. 采用 TTL 与非门构成的基本 RS 触发器,有效触发信号是(　　)。
　　A. 低电平　　　　B. 高电平　　　　C. R 信号　　　　D. S 信号
　　4. 触发器的记忆功能是指触发器在触发信号撤除后,能保持(　　)。
　　A. 触发信号不变　　　　　　　　　　　B. 初始状态不变
　　C. 输出状态　　　　　　　　　　　　　D. 时钟脉冲不变

三、判断题

　　1. 触发器具有记忆功能。　　　　　　　　　　　　　　　　　　　　　　　　(　　)

2. 同步触发器在 $CP=1$ 期间随着输入信号的变化而变化。（ ）

3. 触发器的特点是在任一时刻的输出状态只取决于该时刻触发器的输入信号，与触发器原来的状态无关。（ ）

四、问答题

1. 触发器与组合逻辑电路的区别是什么？
2. 同步 RS 触发器和基本 RS 触发器相比较，有哪些特点？
3. 同步 D 触发器和同步 JK 触发器是否存在约束条件？各有哪些特点？

模块 10

555 定时器

知识目标

要知道：
1) 555 定时器的分类、型号含义和特点。
2) 555 定时器的组成部分及作用。
3) 多谐振荡器的电路组成。

要熟悉：
1) 555 定时器的逻辑功能。
2) 多谐振荡器的特点。

能力目标

会计算：
多谐振荡器的周期和振荡频率。
会画出：
多谐振荡器的工作波形。
会测试：
1) 555 定时器的逻辑功能。
2) 多谐振荡器应用电路的逻辑功能。

素质目标

在组装与测试前照灯 555 自动变光器和汽车液位过低报警电路过程中，将职业素养和工匠精神培养贯穿始终，培养学生锲而不舍、认真细致的工作态度，强化学生的成本意识、质量意识和绿色低碳理念。

项目 10.1 识别与测试 555 定时器

项目相关知识

集成 555 定时器是一种将模拟功能与逻辑功能紧密结合在一起的混合型中规模集成电路，由于 555 定时器内部集成电路中的电阻分压器使用了三个 5kΩ 的精确电阻而得名。集

155

成 555 定时器成本低、性能可靠，在其外部配上少量电阻、电容元件，就能构成施密特触发器、单稳态触发器、多谐振荡器等电路，因此 555 定时器在脉冲波形的产生与转换、自动控制、电子测量与报警以及仪器仪表等汽车电子电路中得到了广泛的应用，如汽车转向灯闪光器、雨刮间隙控制器、汽车防盗报警器、前照灯自动变光器等。

555 定时器根据集成电路内部器件类型不同，可分为 TTL 型（双极型）和 CMOS 型（单极型）两大类。TTL 型 555 定时器电源电压使用范围为 5～16V，输出负载电流可达到 200mA；CMOS 型 555 定时器电源电压使用范围宽，为 3～18V，输出负载电流为 4mA，还可输出一定的功率，CMOS 型 555 定时器输出可与 TTL 集成电路、CMOS 集成电路或模拟电路电平兼容。

一、555 定时器电路结构与工作原理

555 定时器的内部逻辑图及引脚排列如图 10-1 所示，它包括电阻分压器，电压比较器 A_1 和 A_2，与非门 D_1、D_2 组成的基本 RS 触发器，复位电路，晶体管 VT 和输出缓冲器 D_3。

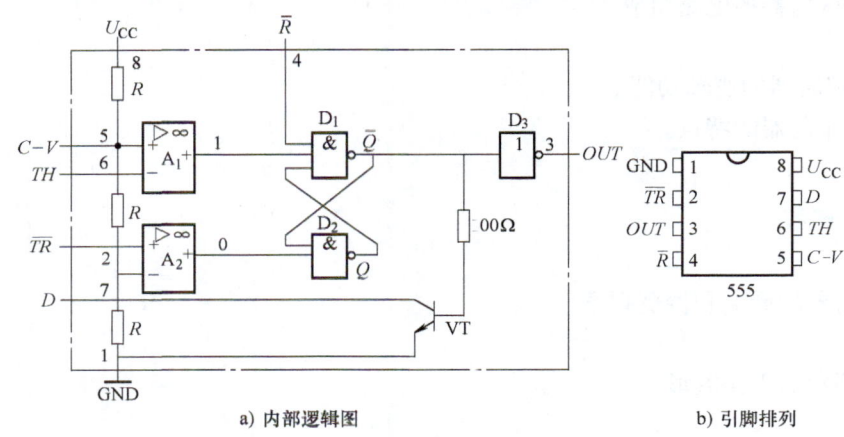

a) 内部逻辑图　　　　　　　　b) 引脚排列

图 10-1　555 定时器的内部逻辑图及引脚排列

图 10-1 中 GND 为接地端，$\overline{TR}$ 为触发端，OUT 为输出端，$\overline{R}$ 为复位端，C-V 为电压控制端，TH 为阈值输入端，D 为放电端，U_{CC} 为电源端。

1. 电阻分压器

由三个阻值相同（都为 5kΩ）的电阻 R 串联构成电阻分压器，它可以提供两个参考电压：一个是电压比较器 A_1 的同相输入端电压，为 $\frac{2}{3}U_{CC}$；一个是电压比较器 A_2 的反相输入端电压，为 $\frac{1}{3}U_{CC}$。

2. 电压比较器 A_1 和 A_2

当 $U_+ > U_-$ 时，电压比较器的输出为高电平 1。
当 $U_+ < U_-$ 时，电压比较器的输出为低电平 0。

3. 基本 RS 触发器

基本 RS 触发器由两个与非门组成，电压比较器的输出是基本 RS 触发器的输入信号，

基本 RS 触发器的输出信号 Q 和 $\bar{Q}$ 将随着电压比较器输出的改变而改变。

4. 复位电路

$\bar{R}$ 是复位端，低电平有效。当 $\bar{R}$ 为低电平时，不管其他输入端信号是什么状态，输出端 OUT 都为 0。当 $\bar{R}$ 为高电平时，555 定时器的输出状态随着触发端 $\overline{TR}$ 和阈值输入端 TH 输入信号的状态变化而相应变化。

5. 晶体管 VT 和输出缓冲器 D_3

当复位端 $\bar{R}$ 是高电平时，若 RS 触发器的输出信号 $\bar{Q}=0$，则晶体管 VT 截止；若输出信号 $\bar{Q}=1$，则晶体管 VT 导通，通过放电端 D 与外接电路形成放电回路。

输出部分由反相器构成输出缓冲器，以提高 555 定时器输出的带负载能力。

其中，电压控制端 C-V 一般通过一个 0.01μF 的电容接地，以旁路高频干扰，保证该端电压稳定在 $\frac{2}{3}U_{CC}$。

二、555 定时器逻辑功能表

根据 555 定时器的电路结构，可以分析得出 555 定时器的逻辑功能表，见表 10-1。

表 10-1 555 定时器的逻辑功能表

TH	$\overline{TR}$	$\bar{R}$	OUT	VT
×	×	0	0	导通
$U_{TH}<\frac{2}{3}U_{CC}$	$U_{\overline{TR}}<\frac{1}{3}U_{CC}$	1	1	截止
$U_{TH}>\frac{2}{3}U_{CC}$	$U_{\overline{TR}}>\frac{1}{3}U_{CC}$	1	0	导通
$U_{TH}<\frac{2}{3}U_{CC}$	$U_{\overline{TR}}>\frac{1}{3}U_{CC}$	1	保持原态	保持原态

555 定时器功能说明：

1) 复位端 $\bar{R}$ 的优先级别最高，只要 $\bar{R}=0$，输出端 OUT 就为 0。

2) 当 $U_{TH}<\frac{2}{3}U_{CC}$、$U_{\overline{TR}}<\frac{1}{3}U_{CC}$ 时，电压比较器 A_1 输出为 1，电压比较器 A_2 输出为 0，此时，触发器置 1，$Q=1$，输出端 OUT 为 1。晶体管 VT 截止。

3) 当 $U_{TH}>\frac{2}{3}U_{CC}$、$U_{\overline{TR}}>\frac{1}{3}U_{CC}$ 时，电压比较器 A_1 输出为 0，电压比较器 A_2 输出为 1，此时，触发器置 0，$Q=0$，输出端 OUT 为 0。晶体管 VT 导通。

4) 当 $U_{TH}<\frac{2}{3}U_{CC}$、$U_{\overline{TR}}>\frac{1}{3}U_{CC}$ 时，电压比较器 A_1 输出为 1，电压比较器 A_2 输出为 1，此时，触发器保持原来状态不变，晶体管 VT 也保持原状态。

项目设备与器材

TTL 型和 CMOS 型 555 定时器若干、数字电子技术实训装置、导线若干。

项目内容和步骤

测试 555 定时器逻辑功能。

项目评价标准

识别与测试 555 定时器项目评价标准见表 10-2。

表 10-2 识别与测试 555 定时器项目评价标准

序 号	考 核 内 容	评 分 标 准	分 数 分 配	得 分
1	测试 TTL 型 555 定时器逻辑功能	连接测试电路，写出 555 定时器的逻辑功能	40 分	
2	测试 CMOS 型 555 定时器逻辑功能	连接测试电路，写出 555 定时器的逻辑功能	40 分	
3	安全文明生产	遵守安全操作规定，工具、器材排放整齐，卫生好	20 分	

项目实训报告

1）设计封面，包括项目名称、班级、姓名、指导教师、时间等。
2）实训报告内容包括项目器材、内容、步骤。
3）测量中记录 555 定时器型号，写出逻辑功能，记录实训过程中出现的问题，总结实训心得体会。

项目 10.2　组装与测试前照灯 555 自动变光器

项目相关知识

一、施密特触发器

施密特触发器是一种双稳态电路，能将边沿变化缓慢的电压波形变换为边沿陡峭的矩形脉冲。

施密特触发器特点如下：

1）施密特触发器有两个稳定状态，其输出状态与输入信号的变化方向和电路的回差电压有关。
2）施密特触发器电压传输特性具有特殊性，有两个不同的阈值电压（正向阈值电压

U_{T+} 和负向阈值电压 U_{T-}）。

3）施密特触发器状态翻转时有正反馈过程，从而输出边沿陡峭的矩形脉冲。

1. 由 555 定时器构成的施密特触发器电路组成

由 555 定时器构成的施密特触发器的电路结构如图 10-2a 所示。将 555 定时器的阈值输入端 TH（6 脚）与触发端 $\overline{TR}$（2 脚）接在一起，作为信号的输入端，即可构成施密特触发器。电压控制端 $C\text{-}V$（5 脚）接有 $0.01\mu F$ 的滤波电容，以提高电路工作的稳定性。

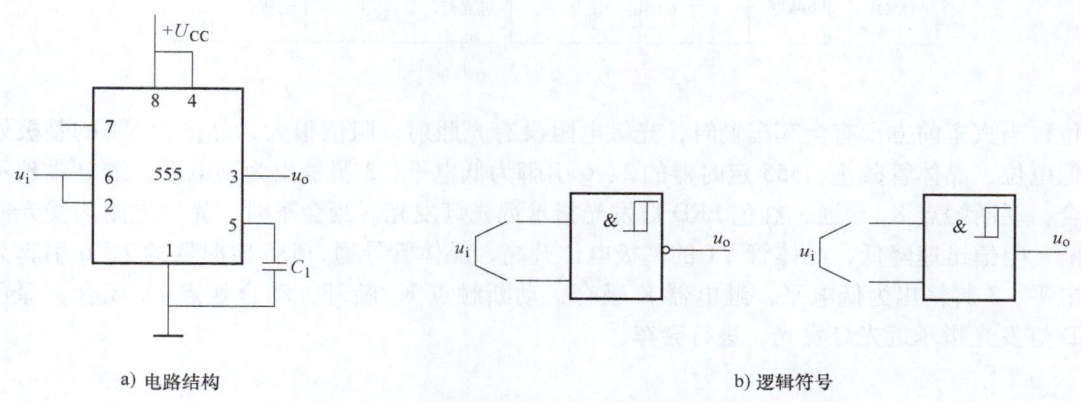

a) 电路结构　　　　　　　　　　　　　　　　b) 逻辑符号

图 10-2　施密特触发器的电路结构和逻辑符号

逻辑符号如图 10-2b 所示。其中左图的输入与输出为反相关系，又称为施密特触发器与非门。右图的输入与输出为同相关系，又称为施密特触发器与门。

2. 施密特触发器的特点

电路有两个稳定状态，输出高电平和输出低电平；输出状态与输入信号的变化方向和电路的回差电压有关。

回差电压：施密特触发器的正向阈值电压 U_{T+} 和负向阈值电压 U_{T-} 的差，用 ΔU_T 表示，即 $\Delta U_T = U_{T+} - U_{T-}$。

施密特触发器的电压传输特性具有滞后特性。

集成施密特触发器的 U_{T+} 和 U_{T-} 具体数值可从集成电路手册中查到，如 CT74132 的 $U_{T+} = 1.7V$，$U_{T-} = 0.9V$，所以，$\Delta U_T = U_{T+} - U_{T-} = 1.7V - 0.9V = 0.8V$。

二、汽车前照灯自动变光器

1. 电路组成

汽车前照灯自动变光器主要由光电检测电路、施密特触发器及开关电路组成，其电路如图 10-3 所示。它能使汽车在夜间会车时于 100~150m 内把远光灯自动转换成近光灯。会车后自动恢复到远光灯照明，从而避免或减少夜间会车时造成的交通事故，提高汽车行驶的安全性。

2. 工作过程

汽车前照灯自动变光器采用光敏电阻作为光电检测元件，光敏电阻在黑暗的情况下阻值很大，当有光照射时阻值迅速降低。将光敏电阻安装在汽车头部且在本车前照灯照射不到的

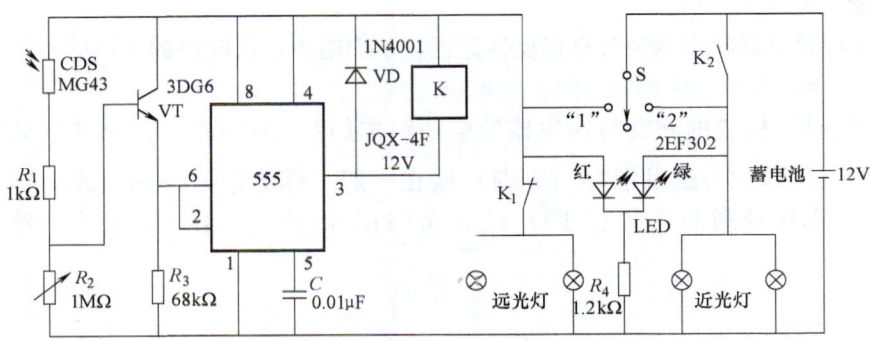

图 10-3 汽车前照灯自动变光器电路

部位，当汽车前方没有会车车辆时，光敏电阻没有光照射，阻值很大，晶体管 VT 的基极处于低电位，晶体管截止，555 定时器的 2、6 引脚为低电平，3 脚输出为高电平，继电器 K 不吸合，动断触点 K_1 导通，红色 LED 灯发光指示远光灯发光。当会车时，光敏电阻因受光照影响，阻值迅速降低，晶体管 VT 的基极电位升高，晶体管导通，555 定时器的 2、6 引脚为高电平，3 脚输出为低电平，继电器 K 吸合，动断触点 K_1 断开，动合触点 K_2 闭合，绿色 LED 灯发光指示近光灯发光，进行会车。

 项目设备与器材

555 定时器、二极管、晶体管、发光二极管（红光、绿光）、动断触点、动合触点、导线、继电器、可变电阻、电容和电阻各若干、数字电子技术实训装置。

 项目内容和步骤

1) 组装施密特触发器并测试。
2) 利用数字电子技术实训装置，组装汽车前照灯自动变光器并测试。

 项目评价标准

组装与测试汽车前照灯自动变光器项目评价标准见表 10-3。

表 10-3 组装与测试汽车前照灯自动变光器项目评价标准

序号	考核内容	评分标准	分数分配	得分
1	组装测试施密特触发器	组装连接电路，并测试工作情况，每错一个元器件，扣 10 分	40 分	
2	组装测试汽车前照灯自动变光器	组装连接电路，并测试工作情况，每错一个元器件，扣 10 分	50 分	
3	安全文明生产	遵守安全操作规定，工具、器材排放整齐，卫生好	10 分	

项目实训报告

1）设计封面，包括项目名称、班级、姓名、指导教师、时间等。
2）实训报告内容包括项目器材、内容、步骤。
3）测量中要记录测量值、晶体管型号，记录实训过程中出现的问题，总结实训心得体会。

项目 10.3　组装汽车液位过低报警电路

项目相关知识

多谐振荡器的特点：

1）多谐振荡器没有稳定状态，只有两个暂稳态，它们交替变化，输出连续的矩形脉冲信号，因此被称为无稳态电路，常用作脉冲信号源。
2）通过电容的充电和放电，使两个暂稳态相互交替，从而产生自激振荡，无需外触发。
3）输出周期性的矩形脉冲信号，由于含有丰富的谐波分量，故称为多谐振荡器。

一、由 555 定时器构成的多谐振荡器

1. 电路组成

由 555 定时器构成的多谐振荡器的电路组成如图 10-4 所示，其中，定时元件除电容 C 外，还有两个电阻 R_1 和 R_2，将高、低电平触发端（6、2 脚）短接后，连接到 C 与 R_2 的连接处，将放电端（7 脚）接到 R_1 与 R_2 的连接处。

2. 工作过程

多谐振荡器在工作中状态从暂稳态 Ⅰ→自动翻转 Ⅰ→暂稳态 Ⅱ→自动翻转 Ⅱ→暂稳态 Ⅰ，电路不断重复上述过程，可见电路没有稳态，只有两个暂稳态，它们交替变化，输出连续的矩形波脉冲信号。

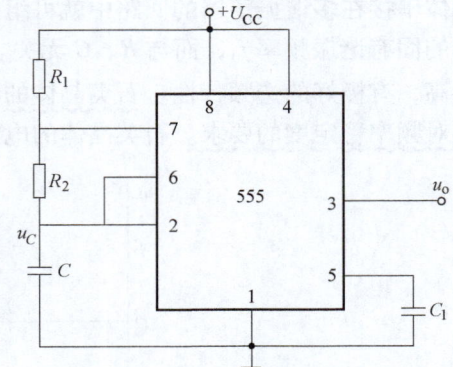

图 10-4　多谐振荡器的电路组成

3. 主要参数

两个暂稳态维持时间 T_1 和 T_2 的计算公式如下：

$$T_1 = \tau_1 \ln 2 = 0.7(R_1 + R_2)C$$
$$T_2 = 0.7 R_2 C$$

式中，τ_1 为时间常数，$\tau_1 = (R_1 + R_2)C$

振荡周期：$T = T_1 + T_2 = 0.7(R_1 + 2R_2)C$

振荡频率：$f = \dfrac{1}{T}$

占空比：$D = \dfrac{T_1}{T_2} = \dfrac{0.7(R_1+R_2)C}{0.7(R_1+2R_2)C} = \dfrac{R_1+R_2}{R_1+2R_2}$

二、石英晶体多谐振荡器

在许多数字系统中，都要求时钟脉冲频率十分稳定，在上面介绍的多谐振荡器中，由于其工作频率取决于电容 C 充电、放电过程中电容电压到达转换值的时间，因此工作稳定度不够高。这是因为：①转换电平易受温度变化和电源波动的影响。②电路的工作易受干扰，从而使电路状态转换提前或滞后。③电路状态转换时，电容充放电速度比较缓慢，转换电平的微小变化或者干扰，对振荡周期影响都比较大。一般在对振荡器频率稳定度要求很高的场合，必须采用频率稳定度很高的石英晶体多谐振荡器。石英晶体多谐振荡器的电路组成如图 10-5 所示。

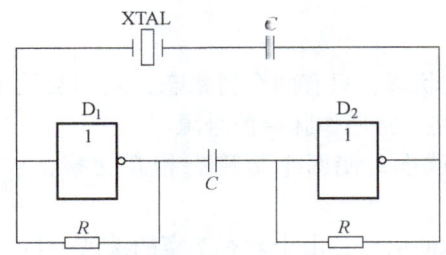

图 10-5　石英晶体多谐振荡器的电路组成

石英晶体具有很好的选频特性。当振荡信号的频率和石英晶体的固有谐振频率相同时，石英晶体呈现很低的阻抗，信号很容易通过，而其他频率的信号则被衰减掉。因此，将石英晶体串接在多谐振荡器的回路中就可组成石英晶体振荡器，这时，振荡频率只取决于石英晶体的固有谐振频率 f_0，而与 R、C 无关。另外，石英晶体不但频率特性稳定，而且品质因数很高，有极好的选频特性。石英晶体的频率稳定度可达 $10^{-11} \sim 10^{-10}$，能满足大部分数字系统对频率稳定度的要求。石英晶体的电抗频率特性如图 10-6 所示。

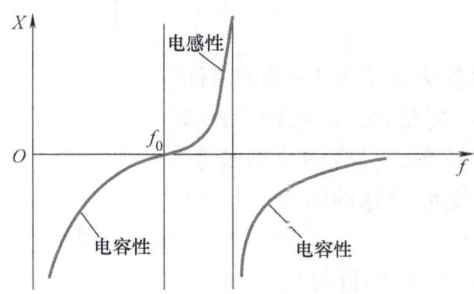

图 10-6　石英晶体的电抗频率特性

三、液位报警器

在汽车生产和使用中，往往需要对容器中的液位有一定限制，以防止事故的发生。图 10-7 是一种液位报警器的电路图，有一对探测电极浸入液池中，当容器中的液位过低时，会自动发出报警声。

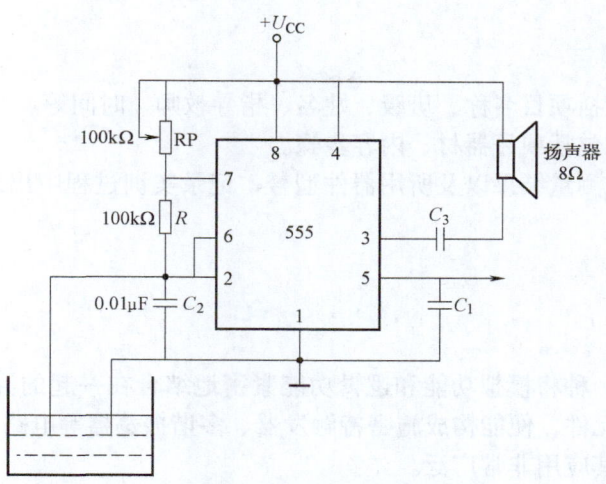

图 10-7 液位报警器的电路图

工作原理：555 定时器接成多谐振荡器。当液位正常时，探测电极使电容 C_2 短路，电容不能充电和放电，因此多谐振荡器不能正常工作，3 脚输出高电平，扬声器不发声。当液面低于电极时，探测电极开路，多谐振荡器正常工作，3 脚输出一定频率的矩形脉冲，扬声器发出报警声，提示液位过低。

该电路只适用于导电液体。调节电位器 RP，可改变输出声音的频率。

项目设备与器材

电阻、电容、555 定时器和扬声器各若干，数字电子技术实训装置，导线若干。

项目内容和步骤

1）组装 555 定时器构成的多谐振荡器电路。
2）利用数字电子技术实训装置，测试其逻辑功能。
3）组装液位报警器电路，测试其功能。

项目评价标准

组装与测试液位报警器项目评价标准见表 10-4。

表 10-4 组装与测试液位报警器项目评价标准

序 号	考核内容	评分标准	分数分配	得 分
1	组装多谐振荡器电路，测试其逻辑功能	组装连接电路，测试电路，写出其逻辑功能	40 分	
2	组装液位报警器电路并测试	组装连接电路，测试电路，写出其逻辑功能	50 分	
3	安全文明生产	遵守安全操作规定，工具、器材排放整齐，卫生好	10 分	

 **项目实训报告**

1）设计封面，包括项目名称、班级、姓名、指导教师、时间等。
2）实训报告内容包括项目器材、内容步骤。
3）测量中要记录测量结果以及所用器件型号，记录实训过程中出现的问题，总结实训心得体会。

小 结

1. 555 定时器是一种将模拟功能和逻辑功能紧密地结合在一起的混合型集成电路，555 定时器外接少量阻容元件，便能构成施密特触发器、多谐振荡器等电路，可用来产生脉冲信号、定时、整形等，其应用非常广泛。

2. 施密特触发器有两个稳定状态，有两个不同的触发电平，因而具有回差特性。输出脉冲的宽度由输入信号和回差电压的大小决定。

3. 多谐振荡器没有稳定状态，只有两个暂稳态。暂稳态之间的相互转换由电路本身电容的充放电自动完成，振动频率的大小随着 R 和 C 的改变而变化。多谐振荡器不需要输入触发信号便可以自由振荡。

4. 555 定时器在汽车电子电路中被广泛应用，如汽车转向闪光器、汽车防盗报警器、雨刮间隙控制器、前照灯自动变光器等。

习 题

一、填空

1. 555 定时器电路是一种将_____功能和_____功能结合起来的中规模集成电路，外接少量阻容元件就可以构成各种脉冲波形产生电路和整形电路。

2. 555 定时器复位端 $\overline{R}$ _____电平有效，当复位端 $\overline{R}$ 为低电平时，定时器输出为_____。

3. 555 集成定时器有_____个触发输入端、_____个输出端。

4. 施密特触发器能将缓慢变化的波形变换为边沿陡峭的_____脉冲，正向阈值电压为_____，反向阈值电压为_____，二者的差值称为_____，计算公式为 $\Delta U_\mathrm{T} =$ _____。

5. 施密特触发器有_____个稳态，输出状态与输入信号 u_i 的_____和电路的_____有关。

6. 多谐振荡器是能产生_____脉冲的自激振荡器，电路_____稳态，有_____个暂稳态，又被称为_____电路，常用来作_____。

二、选择题

1. 555 定时器为了提高振荡频率，对外接元件 R 和 C 的改变应该是（   ）。

A. 增大 R、C 的取值　　　　　　B. 减少 R、C 的取值
C. 增大 R、减少 C 的取值　　　　D. 减少 R、增大 C 的取值

2. 由 555 定时器构成的多谐振荡器，产生的矩形脉冲频率为 1000Hz，若将该矩形脉冲加到 3 位异步二进制加法计数器的计数脉冲输入端，则该计数器高位触发器输出端 Q_2 的波形频率为（　　）。
A. $f=500\mathrm{Hz}$　　B. $f=250\mathrm{Hz}$　　C. $f=125\mathrm{Hz}$　　D. $f=1000\mathrm{Hz}$

3. 用 555 定时器构成施密特触发器，调节电压控制端 C-V 外接的电压，可以改变（　　）。
A. 输出电压幅度　　B. 回差电压大小　　C. 负载能力　　D. 工作频率

三、判断题

1. 改变施密特触发器的回差电压，输出脉冲宽度不受影响。　　　　　　（　　）
2. 通常通过改变多谐振荡器电路中 R、C 的大小，可以直接调节多谐振荡器的振荡频率。　　　　　　　　　　　　　　　　　　　　　　　　　　　　　　（　　）
3. 多谐振荡器可以称为多稳态电路。　　　　　　　　　　　　　　　（　　）
4. 施密特触发器可以广泛用于汽车电子电路中。　　　　　　　　　　（　　）

四、问答题

1. 555 定时器有什么特点？它是因何得名的？
2. TTL 型和 CMOS 型 555 定时器电源电压各自范围是多少？
3. 多谐振荡器的特点是什么？两个暂稳态持续时间如何计算？振荡频率如何计算？
4. 石英晶体振荡器为什么振荡频率稳定性高？

附 录

附录 A　半导体分立器件型号的命名规则

根据国家标准 GB/T 249—2017《半导体分立器件型号命名方法》，半导体分立器件型号的组成、符号及意义见表 A-1。

表 A-1　半导体分立器件型号的组成、符号及意义

第一部分		第二部分		第三部分		第四部分	第五部分
用阿拉伯数字表示器件的电极数目		用汉语拼音字母表示器件的材料和极性		用汉语拼音字母表示器件的类别		用阿拉伯数字表示登记顺序号	用汉语拼音字母表示规格号
符号	意义	符号	意义	符号	意义		
2	二极管	A	N 型，锗材料	P	小信号管		
		B	P 型，锗材料	H	混频管		
		C	N 型，硅材料	V	检波管		
		D	P 型，硅材料	W	电压调整管和电压基准管		
		E	化合物或合金材料	C	变容管		
3	三极管	A	PNP 型，锗材料	Z	整流管		
		B	NPN 型，锗材料	L	整流堆		
		C	PNP 型，硅材料	S	隧道管		
		D	NPN 型，硅材料	K	开关管		
		E	化合物或合金材料	N	噪声管		
				F	限幅管		
				X	低频小功率晶体管 ($f_a<3\text{MHz}, P_C<1\text{W}$)		
				G	高频小功率晶体管 ($f_a\geq3\text{MHz}, P_C<1\text{W}$)		
				D	低频大功率晶体管 ($f_a<3\text{MHz}, P_C\geq1\text{W}$)		
				A	高频大功率晶体管 ($f_a\geq3\text{MHz}, P_C\geq1\text{W}$)		
				T	闸流管		
				Y	体效应管		
				B	雪崩管		
				J	阶跃恢复管		

附录 B 半导体集成电路型号的命名规则

国家标准 GB/T 3430—1989《半导体集成电路型号命名方法》，规定了我国半导体集成电路品种和系列的命名方法。器件的型号通常由五个部分组成，半导体集成电路型号的组成、符号及意义见表 B-1。例如：

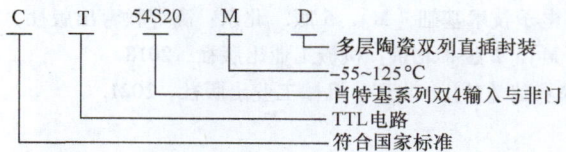

表 B-1 半导体集成电路型号的组成、符号及意义

第〇部分		第一部分		第二部分	第三部分		第四部分	
用字母表示器件符合国家标准		用字母表示器件的类型		用阿拉伯数字和字符表示器件的系列和品种代号	用字母表示器件的工作温度范围		用字母表示器件的封装	
符号	意义	符号	意义		符号	意义	符号	意义
C	符合国家标准	T	TTL 电路		C	0 ~ 70℃	F	多层陶瓷扁平
		H	HTL 电路		G	−25 ~ 70℃	B	塑料扁平
		E	ECL 电路		L	−25 ~ 85℃	H	黑瓷扁平
		C	CMOS 电路		E	−40 ~ 85℃	D	多层陶瓷双列直插
		M	存储器		R	−55 ~ 85℃	J	黑瓷双列直插
		μ	微型机电路		M	−55 ~ 125℃	P	塑料双列直插
		F	线性放大器				S	塑料单列直插
		W	稳压器				K	金属菱形
		B	非线性电路				T	金属圆形
		J	接口电器				C	陶瓷片状载体
		AD	A/D 转换器				E	塑料片状载体
		DA	D/A 转换器				G	网格阵列
		D	音响、电视电路					
		SC	通信专用电路					
		SS	敏感电路					
		SW	钟表电路					

参 考 文 献

[1] 王志敏，刘皓宇. 汽车电工电子技术［M］. 3版. 北京：高等教育出版社，2007.
[2] 冯渊. 汽车电工电子技术基础［M］. 3版. 北京：机械工业出版社，2018.
[3] 万捷. 汽车电工电子技术基础［M］. 2版. 北京：机械工业出版社，2020.
[4] 周良权，方向乔. 数字电子技术基础［M］. 5版. 北京：高等教育出版社，2021.
[5] 娄云. 汽车电路分析［M］. 2版. 北京：机械工业出版社，2018.
[6] 葛中海. 模拟电子技术基础［M］. 北京：机械工业出版社，2021.